本书作者约翰·盖奇是剑桥大学艺术史系前主任，是艺术与色彩史方面公认的国际权威。著有许多种这方面的书籍，包括《色彩与文化》《色彩与含义》，这两种图书均由 Thames & Hudson 出版社出版。

"艺术世界丛书"版权引自英国 Thames & Hudson 出版社

"艺术世界丛书"是著名的插图本世界艺术系列丛书，几乎囊括了世界艺术的所有种类。

图 1　光谱Ⅰ，埃尔斯沃思·凯利，1953 年。

（英）约翰·盖奇 著

黄谌旸 译

艺术世界丛书

艺术中的色彩

196 张插图，其中 167 张彩色插图

浙江摄影出版社

献给葆拉

她总能让色彩出彩

目　录

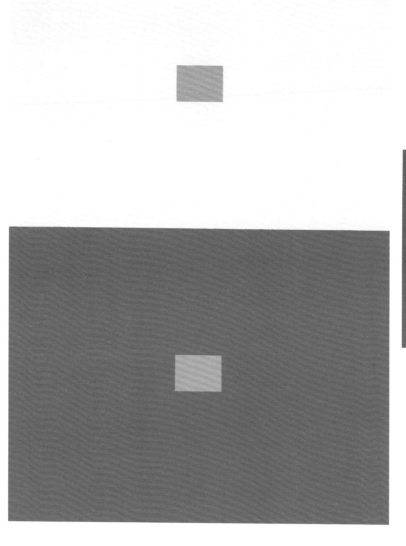

图 2 《色彩的相互作用》，约瑟夫·阿伯斯，1963 年。阿伯斯的著作主要是演示和论证色彩感觉的相对性。这幅耶鲁大学学生所做的丝印习作表明，单一的一种色彩在不同环境的衬托下，看上去会像两种不同的色彩。

前　言

　　色彩涉及物理学、化学、生理学、心理学，以及语言学和哲学等诸多学科；唯独视觉艺术，会同时与上述大多数或所有的学科分支和经验产生关联。因此，想了解艺术，就必须同时谙熟色彩之道。我在早先的研究《色彩与文化》（*Colour and Culture*，1993）与《色彩与含义》（*Colour and Meaning*，1999）中，已给予色彩科学一定的关注。本书中，我将主要通过艺术家们的思想和实践来探讨相关的课题。当然，这些思想和实践过去和现在都是受当时的学术和社会氛围影响的，正如它们反过来也会对后两者产生作用一样。一些古希腊哲学家借助于画家使用颜料的经验，来诠释色彩的本质以及其不同的混合变化；但从亚里士多德开始，哲学家们亦已十分懂得，色彩的外表是具有欺骗性的。"我们看到的并不是色彩真实的样貌"，古希腊遗存的仅有的专著《论色彩》的作者这样写道，这位亚里士多德学派人士知道：色彩的外表并不可靠。这种观念的基本含义是：除了其本身直接的物理刺激（物体的内、外结构造成其对不同波段的光线的吸收与反射）外，还有色彩的语境，决定了色彩的样貌。这一观念一直令艺术家们着迷，至少是延续到 1960 年代的欧普艺术（光效应艺术）。其中著名的有约瑟夫·阿伯斯（Josef Albers）的《色彩的相互作用》（*Interaction of Color*，1963），文中提出了这样的论点：在视觉感知中，一种颜色几乎从未得到真实的呈现——只要当它在物理上是被以最优雅的方式和以最具视觉兴奋的方式表现出来的（图2）。

从"物理"原理上说，色彩就是不同波长的电磁波通过视网膜时大脑产生的反应，但用这样的颇为乏味的言语来描述色彩总难以令人信服，与我们所理解的"色彩"不相一致。这一自然物理现象并不是色彩本身，世界上真真切切地存在着不同类型的辐射能，但并不是所有的都能被肉眼观测到。

人类的视觉系统并不产生"色彩"，因为视网膜的作用机制只是把物理刺激转换成神经系统所能感知的电化学能，最后传送至大脑皮层产生视觉感知。视网膜上有一种感光细胞叫做"视锥细胞"，它们又细分为三种，第一种的敏感波长在420纳米左右，第二种约为530纳米，第三种约为560纳米。这三个值大致对应于我们所感知的蓝色、绿色和红色，即"光的三原色"。波长约为580纳米的黄色，通常被视为一种纯粹的颜色，事实上（它）有可能是感受红色的视锥细胞和感受蓝色的视锥细胞两者共同作用的结果。视网膜的作用是记录和传送感觉，而非知觉，而对于哪怕任何一种色彩的认知都必须经过复杂的大脑活动，例如推理和记忆。所以"色彩"，首先是一个心理问题（详见第二章）。虽然人的肉眼能够辨别数百万种色刺激（大致在一百万到一千万之间，不同的研究人员对具体数值持有不同看法，表明这种数值并非基于实证研究，而是由有限的数据库推断而来），然而大脑只选择感知有限的种类，这就说明了色感觉与色知觉这两者之间存在差异的原因。我将在第五章探讨色彩的语言时，对这方面作更多的论述。

早先，画家们简化了色彩分类，把它们归于"三原色"之下，在此基础上，19世纪早期人们发现了视网膜上视锥细胞的种类只有三种不同的类型。这里的三原色并不是光的三原色红、绿、蓝（图3），而是红、蓝、黄，三者通过不同的混合能产生所有的色彩，人们认为这是有道理的。在古代，调色的运用并不多见，这主要是意识形态的原因：人类不应该干涉自然；混合造成改变，这不是一件好事。而从化学方面上说也有理由表明，混合不同物质是有危险的，而且可能产生令人不愉快的视觉结果。然而到了中世纪后期，调色的实例就多起来了，例如用黄色与蓝色调出绿色。当时绿色颜料非常稀有且价格不菲；而调色工具——画家的调色板，大约在 1400 年在欧洲出现了。文艺复兴早期油画的发展，借助抑制颜料颗粒之间的化学反应促进了调色的扩展。如今已经使用保护性油膜了。

新兴的文艺复兴凭借着以颜料混合来匹配自然界不同色彩的能力，热衷于自然主义的绘画。不过艺术家们也着迷于这样的理念，"三原色"或者说是三种"原始色彩"能涵盖整个色彩世界，这一理念最早呈现于16 世纪下半叶的艺术论述。本书第一章主要审视三原色是如何与意识形态产生关联的。

人们特别是艺术家，有时会说，色彩不能通过语言来描述或探讨。的确，民族语言学家最近试图寻找世界通用的描述"基本"色彩的词汇，但遭到了强有力的质疑。艺术家们对于色彩的热爱也让他们在色彩相关的议题上失去了谨慎的态度。与追求简化特征的哲学和自然科学不同，

图 3 《色轮》(*Colour Circle*)，出自《色彩理论与艺术及艺术产业》(*The Theory of Color in Relation to Art and Art-Industry*)，威廉·冯·贝措尔德（Wilhelm Von Bezold），1876 年。贝措尔德是一位生活在慕尼黑的物理学家和气象学家。该书是早期为数不多的由科学家撰写的致力于研究艺术家的著作之一。贝措尔德的色轮与摩西·哈里斯（Moses Harris）的色环的区别在于，贝措尔德的色轮是不对称的，它不仅包含了新确定的光的三原色：红、绿和蓝，及其互补色：蓝绿、紫和黄，还承认了各个色彩区域的不均等分布。色轮图上英文（中间起顺时针）为：紫、洋红、橙、黄、黄绿、绿、蓝绿、绿蓝、青蓝、蓝紫、紫蓝。

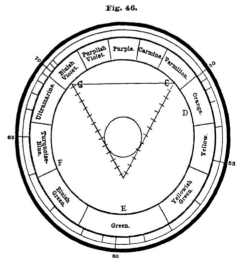

Fig. 46.

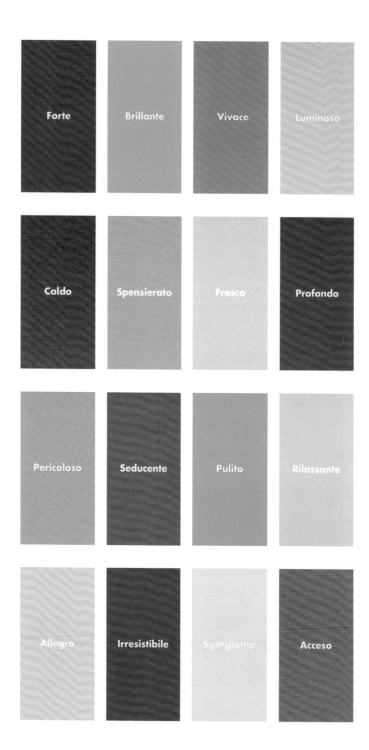

艺术对于色彩的态度往往是依靠直觉且富有诗意的，而本书就将深入探究艺术家们对于色彩的诠释。书中将展示，即使是对色彩所包含的同一种特质，不同的艺术家们的看法也会有很大的差异，这可以在他们的创作中得到例证。实验心理学家自 19 世纪中期学科诞生以来，便致力于研究人（以及动物）对色彩的反应，但他们很少顾及艺术家们的体验，因为不会把他们这一"一般公众"（事实上通常是大学生）的小样本作为考察对象。结果，他们得出了许多结论，比如关于色彩偏好的研究，然而大多数在民意测验和市场调研的循环论证中，陷入了困境（图 4）。本书很多章节，尤其是第六章，都将考察艺术家们对色彩意义的更为开放性的表达。

　　当艺术被彻底重塑，呼唤种种宣言和大量的口头评论之时，20 世纪的艺术家们，尤其是亨利·马蒂斯（Henri Matisse，1869—1954）（图 5）和瓦西里·康定斯基（Wassily Kandinsky，1866—1944）（图 6），明确地表达了他们运用色彩的方法。相比我之前的作品，本书将把更多的注意力放在他们而不是早期画家身上。非欧洲艺术和媒体也是本书延伸探讨的两个全新的领域。前者在某些色彩议题上比欧洲传统更大胆更清晰；后者中所包括的电影、表演艺术以及其他多媒体作品，比起绘画和雕塑来，在紧要关头为很多存在已久的争议开辟了新的研究方向，也引发了很多新的论战。本书涉及色彩的历史，但不是色彩历史本身，每一个章节都从不同学科出发，引出一个主题，比如物理学、化学、心理学、语言学等，旨在探明不同学科与艺术之间的关系。本书把物理学和化学当作引子，再通过生理学来阐释，然而色彩主要是一种心理学现象。因此，出现的种种色彩问题不太可能得以解决，但可以相继地被重新解释，可以用艺术家们创造力卓越的作品来做实例分析。我希望通过这样的考察，大家能对这种无穷无尽的创造力有更深入的认识。

图 4　惠普的广告，2002 年。这则电脑打印机广告，反映了色彩与人的情绪紧密关联这样的普遍共识，它会被充分用于大众营销中。图上英文（从左到右、从上到下）：强的、辉煌的、活泼的、光亮的、炎热的、快乐的、清凉的、深沉的、危险的、诱人的、干净的、放松的、快速的、不可抗拒的、花哨的、热烈的。

图5（上） 《红色的和谐／餐桌上》（*Harmony in Red / La desserte*），亨利·马蒂斯，1908年。研究人员最新发现了这幅画的一张早期彩色照片，照片透露出这幅作品的红色区域原本是被绿色颜料覆盖的。类似这样在绘画过程中对作品的大幅度修改在马蒂斯的作品中经常出现。马蒂斯是最早把修改调整纳入绘画理论的画家之一，他同时代的《画家笔记》对此进行了探讨。
（参见63页）

图6（对页） 对《蓝骑士年鉴》封面的研究，瓦西里·康定斯基，1911。这是反映康定斯基对于蓝色的观点的最早的画作之一。他认为蓝色是最适合圆形的颜色（详见第三章）；他认同唯灵论运动和神智学关于蓝色的理念，置身于蓝色茧状光环内的骑士也暗示了这种色彩的灵性。

第一章　色彩之光—光之色彩

宗教信仰曾经主导西方文明许多个世纪，欧洲人对艺术作品中的色彩的重视无不随之相生相长。光与色彩被定义为两个完全不同的实体，而色彩本身又被划分为两种不同的类型：一类是来自物质本体的稳定属性的色彩；另一类是"偶然的"色彩，譬如转瞬即逝的彩虹中的色彩（图 8），或者是一些会随观察者视角的转变而改变的鸟类羽毛的色彩。"偶然的"色彩的神秘面纱直到中世纪结束才逐渐被揭开，人们直至 17 世纪才开始完全将它们与光线和物质的色彩联系在一起。不过，人们对物质色彩的研究和探讨要充分得多，这想必是因为它们与珠宝匠、染色工和画家的实践活动相关。

比如前苏格拉底哲学家恩培多克勒（Empedocles，公元前 5 世纪），他曾把土、气、火、水这四种元素混合物，与画家们为追求和谐效果而混合色彩的方法进行了对比。虽然记载艺术的古希腊论述几乎都未能够保存下来，不过由亚里士多德的一个学生所著的，唯一遗存的古希腊关

图 7 《圣母往见，圣母马利亚的生活》（*The Visitation, Life of the Virgin*），约 1150 年，彩绘玻璃窗，沙特尔圣母大教堂。法国的彩绘玻璃以其炫目的蓝色著称，据该教堂的主要筹建人之一阿博特·叙热（Abbot Suger）大主教所述，这些蓝色是由"蓝宝石材料"制成的。（参见 20 页）

图8 《伊丽丝和图尔努斯》（*Iris and Turnus*），5世纪，出自《埃涅阿斯纪》，卷九，第七十四行，《罗马的维吉尔》（*the Virgilius Romanus*）手卷。在这幅近古时期的插画中，身为诸神信使和彩虹化身的伊丽丝，携一道红、白、绿相间的虹弧，虽然绘制这一场景的艺术家还用了也属于彩虹色的蓝、橙、黄来表现画面中的其他部分。维吉尔（Virgil）自己也形容说有"上千种"颜色存在于彩虹这种最难以捉摸的自然现象中。

图9 花园房北墙的花园壁画，《亚历山大的婚房》，约1世纪，庞贝古城。这里对喷泉中水的艺术表现，反映了亚里士多德对色彩分层的论述。

图 10　彭忒西勒亚画家（Penthesilea Painter），红绘瓶画局部，约公元前 450 年。罗马历史学家普林尼所记录的古希腊人精湛的线描技艺，尤其能从现存的许多公元前 5 世纪至前 4 世纪的彩绘花瓶上看到。

于色彩的论述（约公元前 4 世纪）却从另一角度强调，对于色彩的研究应当"不像画家们那样通过调配颜料来获取"，这表明在当时不止恩培多克勒一人，其他哲学家也依然倾向于这么做。庞贝的罗马画家们使用的画下着色绘画技法，与数世纪前亚里士多德形容的一种技法十分类似：当他们想表现一种物体显现于水下或是被薄雾所覆盖时，他们会"把一种相对不那么鲜艳的颜色加在另一种较为鲜艳的底色之上"（图 9）。但是在实际操作过程中，相对更鲜艳的、也是价格更为昂贵的颜料往往会被用在表层，而亚里士多德的色彩论述更多的是指亮度而不是饱和度。亚里士多德还辩称，（在肖像画中）良好的素描远比"最美丽的色彩被混乱地涂抹"更能带给人们愉悦。这个观点为许多古代作家所接受，他们认为色彩在现实主义艺术中只是一种辅助而不是必要条件。这一概念是美学遗产中最持久的概念之一，从古希腊到文艺复兴再到现代欧洲一直持续着，本书第三章将对其进行深入探讨。

　　古代历史学家老普林尼（Pliny the Elder）在其所著的《自然史》（Nature History，约 1 世纪）中，从对自然物质的讨论引发了对艺术的探讨，这引起了 4 世纪的希腊艺术家们的注意。譬如帕拉西奥斯（Parrhasios），他发展了纯轮廓（pure outline）的绘画技法（图 10），高度提示了立体形态；又如阿波罗多洛斯（Apollodorus）和宙克西斯（Zeuxis），他们开发了明

图 11 《玩骨骰的人们》(*Knuckle-Bone Players*)，年代不详。单色绘画技法是沿用至今的最古老的绘画技法之一。

暗对照法（chiaroscuro）。上述两种绘画技法的发展在幸存至今的那些杰出的单色画作品中都有所体现（图 11）。这两种技法都很重视光影的对比。直至近代，光影对比处理都是画家们的首要关注点之一。即使是 17 世纪在艾萨克·牛顿（Isaac Newton）把光线和色彩的概念结合之后，在视觉艺术家看来，两者也绝非是同样的东西。牛顿证明了色彩只是不同波长的光线的表现形式，但是视觉艺术家们坚持认为事实要复杂得多。色彩具有透明度和不透明度，可以呈有光泽和无光泽的形态，既有色相又有

图12　圣多纳托的半身像圣骨匣，1346年。中世纪最珍贵的礼拜仪式用品都由透光性最强、反射率最高的材料制成，红榴石就是其中之一，那时人们曾以为该材料本身就会发光。

表面纹理，最重要的是，不同的色彩存在不同的固有明暗色调值（例如，纯黄色就比纯蓝色的更亮），而这些都是构建视觉世界的重要组成部分。

　　把线描技法运用到炉火纯青的阿佩利斯（Apelles），堪称最伟大的古希腊艺术名家。为了较量出谁能够画出最完美的线条，他与普罗托耶尼斯（Protogenes）分别绘制了作品，并在同一块画板上展出。根据普林尼的记录，这块画板上除了两人线描之外别无他物。画板之后被运到了罗马，在那里供人们欣赏称赞了好几个世纪，但是到了普林尼的时代，这块画板早已难觅其踪了。据普林尼著述，阿佩利斯还发明了一种深色清漆上光技法，他的作品都包裹了薄薄的清漆层，"使作品中的色彩闪耀着夺目的光芒"，并中和了作品中相对过亮的部分。大多数古代壁画和马赛克拼花都经过打磨抛光，在增强作品表面反光能力的同时给亮色以深度，从而达到与清漆上光类似的神奇效果：在视觉效果中，对光的利用创造甚至比对色调本身的作用具有更高的优先级。对光线的重视强调一直持续到中世纪。最有代表性的中世纪大型具象装饰艺术作品就包括玻璃马赛克和彩绘玻璃，小型作品则有镀金祭坛装饰品和镶嵌宝石或珐琅的镀金礼拜仪式用品（图12）。

原色

在中世纪，光的概念是双重的：第一重为 lux，指光源；第二重为 lumen，指由物体表面反射出的光。相较于一般材质本身固有的色彩，人们更珍视"偶然的"色彩，因为后者更通透、更神秘，所以，珍贵的宝石、金属、玻璃（通常被认为是石头的一种）等半透明的或反射性强的物质就成为了最有价值的材料，经常被用于象征或制造光线本身。从保存至今的作品来看，中世纪彩绘玻璃可以分为以下几个色彩阶段：早期的德国奥格斯堡彩绘玻璃，通常有着白色的背景和强烈的红绿对比（图13）；稍晚一些的沙特尔彩绘玻璃（图7）；还有是以蓝色为主的地处巴黎近郊的圣丹尼斯大教堂彩绘玻璃。在概念上，蓝色曾被认为是第二深的颜色，

图 13（左）《先知以赛亚》（*The Prophet Isaiah*），约1130年，奥格斯堡大教堂。现存的最早彩绘玻璃之一。红色和绿色的部分，可能由加热至不同温度的同一种着色材料制成。

图 14（对页）《耶稣受难和升天》（*The Cruxifixion and the Ascension*），法兰西学派彩绘玻璃，13世纪，普瓦捷大教堂。玻璃彩绘中耶稣的头发和胡子部分体现了蓝色与黑色两者之间的紧密关联，在这个场景中，蓝色可以被理解成闪耀着光芒的黑色。

图 15 中世纪的人们，银涂料彩绘玻璃，约 1340—1349 年，位于伊利大教堂（Ely Cathedral）内的圣母堂。这部分窗板为典型的中世纪后期浅色彩绘玻璃，配以主导的黄色。这种黄色的运用要归功于新出现的银染技法，它使创作不再局限于制造有色玻璃，而是能够在玻璃表面进行绘画上色。

仅次于黑色（图14）。有充分的理由相信，图中的这幅早期法国玻璃彩绘的设计初衷是为了营造一个密闭却又能渗入丝丝光明的黑暗环境，来比拟中世纪早期神学中不可知晓的神。13世纪之后，对神的更为传统的理解逐渐占据主导，光在西方神学界重新获得了重要的地位，因此到了中世纪后期，彩绘玻璃的透光性越来越强。新发明的银染法是后期彩绘的主要技法，在烧制之后，所涂位置会出现一种浅黄色的效果（图15）。

　　光线越来越被视为一种物理现象，而不再是超自然现象。阴影不再意味着道德角度的怀疑，画家们对投射的阴影也越来越感兴趣，其中就包括文艺复兴早期的绘画大师马萨乔（Masaccio，1401—1428）。他在佛罗伦萨的布兰卡奇礼拜堂的回廊壁画上展现的圣彼得用自己的阴影治愈病人的故事，成为了最引人注目的部分（图16）。光线曾经是重要的研

图16 《圣彼得用阴影治愈病人》（*The Shadow Healing*），马萨乔，1425年。圣彼得生平中的这个片段（《圣经》新约使徒行传，第5章第15节）有说服力地，抑或是迂回地证明了在文艺复兴早期艺术中，投射的阴影正慢慢地成为一个值得考量的细节。该作品是这座礼拜堂的回廊壁画中运用投射阴影最有成效的。

图 17 《被桃金娘缠绕的阿波罗》（*Apollo Wreathed with Myrtle*），背景为白色的基里克斯陶杯，公元前 5 世纪。这类四色瓶画的色彩由黑、白、红和黄构成，是非常稀有的古希腊文物，证实了普林尼在针对现代罗马绘画中过于艳丽的用色而做的关于公元前 4 世纪古希腊画家色彩运用的论述。

究对象。16 世纪，人们发明了现代三棱镜，也许就是为研究光谱提供的工具。到了 17 世纪，三棱镜在艾萨克·牛顿爵士的实验中扮演了重要的角色。实验证明光谱中所有的光谱色都包含在白光中，于是亚里士多德提出的"颜色的变化显现需要某种能使光变暗的媒介的介入"的观点不攻自破。

16 世纪后期，那不勒斯的"魔术师"（Magus）乔瓦尼·巴蒂斯塔·德拉·波尔塔（Giovanni Battista della Porta）（照相暗箱的研发者）用三棱镜进行了实验。实验中，他观测到通过三棱镜的光束折射出了三种最基本的原色——红、黄、蓝。追随公元前 5 世纪的诗人色诺芬尼（Xenophanes），亚里士多德记载了彩虹之中的三种色彩——红色、绿色 / 黄色和紫色。也许波尔塔受到了亚里士多德版本的光谱的影响，因为他所谓的"蓝色"就包括了亚里士多德提出的"彩虹紫"（希腊语"halourgon"，拉丁语译为"halurgus"）。直到 16 世纪晚期，亚里士多德在自然科学方面还占据着权威的地位。亚里士多德得出的观测结果，在很大程度上受到了同时期支持三原色的相关论证的影响，这些论证是对普林尼描写的阿佩利斯及其他同时代古希腊画家采用的四色调色（图17）的新的解读。基于油画调色技法，色彩调和创造的疆界得到了拓宽，人们相信，只要有了这三种颜色，所有的色彩都可以调配出来。

尽管如此，红—黄—蓝三原色的基本原理在17世纪初期已传遍欧洲大陆，在艺术家们的心中确立了其指导地位。英国艺术家布里奇特·赖利（Bridget Riley）指出，鲁本斯临摹的作品比早一个世纪的提香的原作在原色运用上要复杂得多。贝尔纳多·斯特罗齐（Bernardo Strozzi）在《牧羊人的崇拜》（*Adoration of the Shepherds*）中塑造的巴尔的摩的圣母马利亚的穿着，就是三原色的三位一体的典型表现（图18）。在画家们心

图18 《牧羊人的崇拜》，贝尔纳多·斯特罗齐，约1618年。作品中的圣母形象体现了贝尔纳多对红、黄、蓝三原色的集中运用，揭示了新发现的原色原理在17世纪早期绘画中的重要性。占据了之后两个世纪的浪漫主义艺术思想："用色营造光"和"色彩的圣三位一体"，至此已初具雏形。

图 19（上）《科内利斯·范埃斯特伦和色彩》（*Cornelis van Eesteren with colour*），《底部轴测图，温克尔广场购物中心，海牙》（*Axonometric from below, Winkelgalerij Shopping Mall, The Hague*），特奥·范杜斯堡（Theo van Doesburg），1924 年。这幅以三原色为主的作品的设计者为荷兰风格派的奠基人特奥·范杜斯堡，他还积极地推动了原色色块在建筑中的应用。

图 20（下）《书报亭设计》（*Design for a Newspaper Kiosk*），赫伯特·拜耳（Herbert Bayer），1924 年。这一设计，反映了包豪斯学派受到的特奥·范杜斯堡的影响。完成此设计的两年前，拜耳曾就学于魏玛包豪斯学院。

图 21 《谁害怕红、黄、蓝（1号）》
（ *Who's Afraid of Red, Yellow and Blue I* ），
巴尼特·纽曼，1966 年。纽曼的系列
作品的大尺度，使人想起荷兰风格派
或包豪斯建筑，但事实上作者意在从
设计中拯救三原色并把它们重新引入
美术领域。

中，三原色一直享有至高的地位。到了 20 世纪初，早期现代艺术运动为艺术思想体系带来了新的思潮，泛称为"构成主义"（ Constructivism ），此思潮在荷兰风格派（ Dutch De Stijl ）运动（ 图 19 ）和 20 世纪 20 年代的德国包豪斯建筑学派（ 图 20 ）主张的新造型主义中体现得尤为明显，其共同诉求就是试图界定并开发设计的基本原则。三原色原理当时十分盛行，成为了公认的颜色理论基础。20 世纪 60 年代的美国大色域（ colour-field ）画家巴尼特·纽曼（ Barnett Newman ）创作了一系列题为《谁害怕红、黄、蓝（ 1 号 ）》的大尺度作品（ 图 21 ）。纽曼还写道："我不知道人们为什么要屈服于纯粹主义者和形式主义者，他们背叛了红、黄、蓝，所提出的主张只是在毁灭色彩而已。"纽曼十分关心如何使三原色更具有表现力而不是说教性的，尽管他并没有明确指出这个观点，但在他眼中三原色就是如此。

牛顿的光谱分析

在 17 世纪后半叶，关于光之色的新概念开始建立起来。其中就有

图 22 《戴珍珠耳环的少女》（*The Girl with a Pearl Earring*），杨·弗美尔，约 1665 年。弗美尔对珍贵的绘画原料格外谨慎，比如由天青石制成的群青色。他的作品的基础色调通常以蓝和黄为主，而在当时，其同胞克里斯蒂安·惠更斯就主张这两种颜色是光的独特组成部分。

图 23 《苏尔玛》（*Zulma*），亨利·马蒂斯，1950 年。尤其在其后期的剪纸创作中，马蒂斯突出表现了蓝色和黄色。在 19 世纪，光学科学证实了这组颜色是互补色，可以构成白色的光。

图24 调色图（diagram of palette），版画插图，出自《美的分析》（*The Analysis of Beauty*），威廉·贺加斯，1753 年。五种"花的色彩"排成了这组序列：红、黄、蓝、绿、紫，从 4 号至 7 号越来越亮，从 4 号至 1 号越来越暗。

英国科学家罗伯特·胡克（Robert Hooke）和荷兰人克里斯蒂安·惠更斯（Christiaan Huygens）提出的蓝、黄是光之二原色说。这一学说与同时代的杨·弗美尔（Jan Vermeer，1632—1675）的绘画形成了惊人的呼应。后者几乎都围绕着这两种颜色来构筑其作品（图22）。德国诗人约翰·沃尔夫冈·冯·歌德（Johann Wolfgang von Goethe）和苏格兰科学家詹姆斯·克拉克·麦克斯韦（James Clerk Maxwell）从各自领域为蓝色和黄色在 19 世纪成为新的色彩权威奠定了基础。在亨利·马蒂斯（Henri Matisse）的后期剪纸作品（图23）和瓦西里·康定斯基（Wassily Kandinsky）的理论（将在后文中探讨）中，这一对颜色也占据了主导地位。然而，17 世纪影响最广的色彩理论源自牛顿的光谱分析。光谱分析虽然有力地推翻了原色是有限的这一观念（通过向人们展示每一种颜色都包含在白光的光谱之中），但人们还是提议用红、橙、黄、绿、蓝、靛、紫

图25 《画喜剧女神的自画像》（*Self-Portrait Painting the Comic Muse*）（局部），威廉·贺加斯，约 1757 年。贺加斯在这里采用了一种更加正统的由亮至暗的调色安排。

这七种基本颜色序列来表示色彩，以类比于全音阶中的七个音符。

在 20 世纪以前，鲜有艺术家敢冒险按照光谱顺序完成画作的色彩构成，尽管威廉·贺加斯（William Hogarth，1697—1764）在 18 世纪 50 年代就发明了类似光谱的一组色彩（虽然他本人的作品中并未应用到）（图24,25）。该世纪末，任职伦敦皇家艺术学院主席的美国画家本杰明·韦斯特（Benjamin West）认为，彩虹呈现的色彩序列应该构成了最和谐的色彩组成的基础。韦斯特先是从鲁本斯，之后又从拉斐尔的画作中看到这样的色彩安排，但是他没能说服他的同事，因为其他人注意到韦斯特提出的规则存在很多的例外，并不适用于所有的早期绘画大师。至少有一名同事发现了这位主席关于彩虹的认知的异常之处，因为在观察彩虹

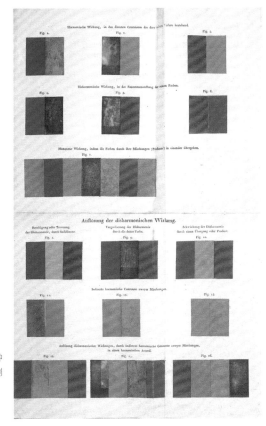

图 26 《色彩的和谐》（Colour Harmonies），出自《色球》，菲利普·奥托·伦格，1810 年。此处转载的附图，显示了五种彩虹色挨个排列的"单调的效果"，序列中间的色彩是两侧色彩混合产生的结果。

图 27 《被指引到乐土的摩西》《*Moses Shown the Promised Land*》，1801 年，本杰明·韦斯特。韦斯特认为最和谐的色彩安排就隐藏在彩虹光谱的顺序之中，这幅作品就是韦斯特呼应这一理论的少数画作之一，从左至右色彩变化为由暖到冷。

这个相对不显眼的自然现象时，韦斯特并没有注意到一个很关键的事实：当天空中出现双重彩虹时，在外圈的色彩较淡的霓的色彩排列顺序与虹的顺序恰恰相反。韦斯特在一些作品（图27）中虽对自己提出的理论有所回应，然而并没有经常或突出地加以运用。德国浪漫主义画家菲利普·奥托·伦格（Phillipp Otto Runge）也同样在其著作《色球》（Farben-Kugel，英译为 Colour-Sphere）（1810年）中明确反对在绘画中遵照光谱顺序来安排色彩，认为这样会使画作显得过于单调（图26）。

直到20世纪早期，在先锋艺术家开始探索抽象艺术的可能性之后，牛顿的光谱才得到全方位的发展应用。牛顿在1706年完成的《光学》（Opticks）中，为了运用数学方法来绘制定位不同的颜色，把线性结构的

图28（下左）《色轮》（Colour Wheel），出自《光学》（Opticks），艾萨克·牛顿爵士，1704年。牛顿根据从光谱中观测到的七种颜色将圆分成了七个不同的部分，并把白色置于圆的中心，这也是首个根据光谱绘制的色轮。红色几乎在绿色对面的位置，蓝色对应橙色，黄色对应紫色，这些成对的颜色彼此互为互补色。图上英文顺时针为：A蓝、B靛青、C紫罗兰、D红、E橙、F黄、G绿。

图29（下右）《棱镜色环》（Prismatic Circle），摩西·哈里斯，约1776年。摘自《绘画的历史和原则系列讲座》，T. 菲利普斯（伦敦，1833年）。尽管这本书是献给当时的皇家艺术学院主席约亚·雷诺兹爵士（Sir Joshua Reynolds）的，但哈里斯事实上却是一名昆虫学家，他急于找到一个能够具体细分昆虫颜色的系统。该色环的另一版本出现在他1776年所著的《英国昆虫博览》（Exposition of English Insects）中。这也许是第一个均匀对称的色环：红色对应绿色，蓝色对应橙色，黄色对应紫色，每种颜色由外围至中心逐渐变深，表达了黑白轴变的概念。图上英文顺时针为：红、橙、黄、绿、蓝、紫。

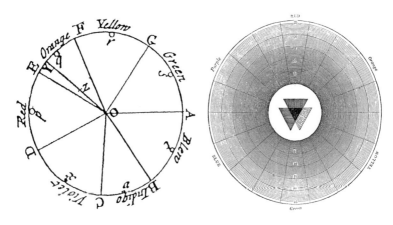

光谱围成了圆的形态（图 28）。牛顿绘制的色轮之所以不对称，是因为他考虑到了不同的色彩在线性光谱上占据不同比例这一事实。他还发现，位置相对应的两种色彩混合后，会产生一种中性的灰白色，于是他把所谓的"白色"置于色轮的中心。这说明，位置相对的两种色彩之间存在着某种特殊之处。于是，为了寻找最强烈的对比，不久艺术家们开始着手绘制对称色轮，这些色轮还展示了这些对比涵盖了整个色彩范围：红色对应间色绿色，而绿色由黄色和蓝色这另外两种原色调和而成；蓝色对应的橙色，就由红色和黄色混合而成；同理可得其他色彩。摩西·哈里斯（Moses Harris）发表的色环或许是最早的对称分布色环（图 29），谓之"色彩的自然系统"。

牛顿绘制的色轮是一幅混合图，这个色环，或是圆盘，有色彩不同的弧段且被快速旋转，从而造成视觉暂留效应，长久以来人们得以利用这种诉诸视觉的方法来指导色彩调配。托勒密（Ptolemy）早在公元 2 世纪就描述记录了这种现象，并将制陶人染色了的转轮与之做类比。牛顿本人并不一定旋转了他的色轮，理论上，色轮上的所有光谱色混合在一起会形成白色，这被认为是一个有趣的可能性，于是研究人员们开始纷纷尝试利用旋转色轮的方法。比较有名的是 18 世纪 60 年代奥地利昆虫学家 G. A. 斯科波利（G. A. Scopoli）使用该方法来帮助分析昆虫的颜色。在 19 世纪，圆盘混色成为分析白光构成的最主要的方法之一（图 61）。也许是受到了该方法的启发，在 1890 年，新印象派画家乔治·修拉（George Seurat）在给莫里斯·波布（Maurice Beaubourg）写信时，就提到了利用视觉暂留效应进行视觉混色。在 20 世纪，这个构思成为了捷克抽象主义先锋画家弗兰提斯克·库普卡（Frantisek Kupka, 1871—1957）两幅题为《牛顿的色碟》（*Disk of Newton*）的极具动态的画作（1911—1912 年）（图 30,32）的灵感来源。但是，出现在《牛顿色碟的研究》（*Study for Disk of Newton*）中的最大的那个圆盘反而不是基于牛顿的研究，而是受到了美国物理学家奥格登·鲁德（Ogden Rood）的著作《现代色彩学》（*Modern Chromatics*）（1879 年，

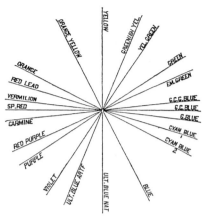

图30（左）《牛顿色碟的研究》，弗兰提斯克·库普卡，1911—1912 年。虽然相比较于牛顿的色轮，库普卡对色彩的并列处理与鲁德（Rood）的手法更为相近，但他作品中的色环边缘的颜色分界处暗示了其灵感来源于色轮的色彩分布。库普卡相信牛顿是通过旋转色轮来混合色彩的，这为他的这种极富动态的创作提供了参考。

图31（右）《色彩对比图解》（Contrast Diagram），出自《现代色彩学》（Modern Chromatics），奥格登·鲁德，1879 年。奥格登把可以调出中性灰白色的色彩排成一组，汇总到一张可以旋转的圆盘上，绘制出色彩对比图例。鲁德谨慎地对颜料及抽象的色彩做了详细的说明，使他的研究对画家们显得尤其有益。图上英文顺时针为：黄／绿黄／黄绿／绿／祖母绿／绿绿绿蓝／绿绿绿蓝／绿蓝／青蓝一号／青蓝二号／蓝／超蓝（自然颜料）／超蓝（人工合成）／紫罗兰／紫／红紫／胭脂红／朱砂（西班牙红）／朱红／红丹／橙／橙黄。

法国版 1881 年）中较新的色环（图 31）的启发。不管怎样，收藏于巴黎的库普卡研究画作（图 32）中的黑色中心，还是反映出画家在作画时参考了牛顿的薄板实验图示。实验中，"牛顿环"围绕着两块薄板相互挤压时压力最大的那个接触点展开，反射光线的位置呈现黑色，光线穿透薄板的位置呈白色（图 33）。库普卡作品的副标题"对双色色彩赋格曲的研究"（Study for 'Fugue in Two Colours'）更清楚地表明了灵感来源，因为赋格曲在音乐中就是以反转、遁走等形式著称，正如牛顿环中的色彩以反向的形式出现（该现象催生了互补色概念的出现）那样。

　　库普卡对牛顿光谱学说的运用也许是早期现代主义中最为大胆而抽象的，但是将全套光谱色配置成圆环形式的画家并不只有库普卡一人。例如绘制了类似系列绘画作品的同时期的法国画家罗贝尔·德洛奈

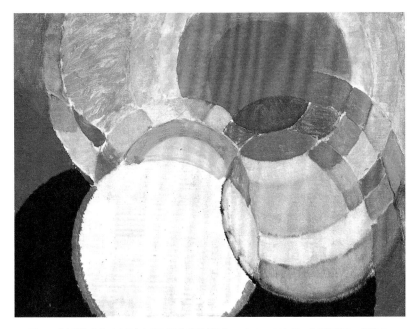

图 32 《牛顿色碟之"对双色色彩赋格曲的研究"》，1911—1912 年，弗兰提斯克·库普卡。这幅是该系列中较为早期的作品，可以更明显地看出作品主题受到了牛顿学说的影响。白色环和黑色环紧密地挨在一起，不免使人想起牛顿绘制的"牛顿环"（Newton's Ring）图解（见图 33），因为在牛顿环实验过程中，两块透明薄板相互挤压，压力最大的那个接触点周围会出现各种颜色，当光线透过薄板时人们会看到白色，当光线被反射时人们看到的是黑色。

（Robert Delaunay，1885—1941），他在 1913 年与别人的通信中否认了自己对科学具有任何兴趣或能力，他写道："我有限的科学知识与引领我接近光的技法没有任何关系。"在另一封信中，德洛奈声称正是通过对大自然的研究，他才同时发现了互补色的规律和色彩的同时对比。尽管如此，不容忽视的是，他熟知法国化学家、色彩理论学家米歇尔-欧仁·谢弗勒尔（Michel-Eugène Chevreul）和鲁德的理论，其中谢弗勒尔的著作就简要提及了牛顿的实验，且在 19 世纪后期被法国艺术家深入研读。1912 年，德洛奈在论文《论光线》中提出"光线在本质上创造了色彩的流动"，而作为一名艺术家，他的首要目标就是通过色彩来营造光和光之韵律。次年，他便开始了《圆形》（Formes circulaires，英译 Circular Forms）系列的创作。在这些作品展出的时候，德洛奈用"太阳"和"月

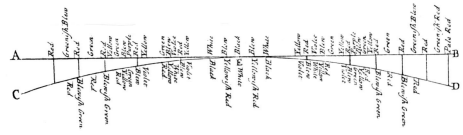

FIG. 3.

图33 《薄板上的色彩》（*Colours of Thin Plates*），出自《光学》（*Opticks*），艾萨克·牛顿爵士，1704年。这是当两块透明薄板挤压在一起时的剖面图，该实验产生的结果也就是以后为人们所熟知的"牛顿环"。如图所示，穿透薄板的光线和被反射的光线所呈现出的颜色正好两两相对应，这也许就是后来所谓的互补色的最早的说明。图表英文为：A—红 绿蓝 / 红绿 / 红黄 绿蓝紫 / 红黄绿蓝 紫罗兰红黄 / 白蓝黑蓝白 / 黄红紫罗兰蓝绿黄 / 红紫蓝绿黄 / 红绿 / 红绿蓝 / 红绿红淡红—B；D—红 / 蓝绿红 / 蓝绿红黄绿 / 蓝紫罗兰 / 红黄白蓝紫罗兰 / 黑黄红 E 白黄红黑 / 紫罗兰蓝 白黄红 / 紫罗兰蓝绿黄红 / 蓝绿红 / 蓝绿红—C。

亮"为其命名。德洛奈相信，当色彩紧密排列在一起组成环状的图形时会有强烈的共鸣振动，这比在画布上分开较远的色彩之间的反应要强烈得多，例如互补色的对比。在他的作品"太阳"（图34）中，左边的主要圆盘含有绿色和蓝色，右边的含有橙色、红色和棕色——紧挨的色调使人感到了迅速的色彩颤动。然而在圆盘中，互补的以及接近互补的色彩——左边的橙色，右边的蓝色和绿色——被并置在一起，形成的色彩颤动是相对缓慢的。这样，艺术家们仅用色彩就创造了极其复杂的色彩律动。德洛奈在1913年4月写道："我画太阳，这只不过是纯粹的绘画。"

显然，德洛奈特别感兴趣的方面是光与透明度，而不是色彩的色相。他早期的关于色彩学的实验是受到了他的妻子，俄罗斯画家和设计师索尼娅·德洛奈（Sonia Delaunay，1885—1979）的启发。索尼娅受过野兽主义传统（图35）的训练，1911年前后，她从事于彩色布料和纸料的平面拼接创作。后来她表示："在色彩的问题上，他（罗贝尔）对我有绝对的信心，总是听取我的建议。"就索尼娅而言，她采用了罗贝尔大部分的艺术表达形式，使其创作在20世纪20年代显得更为锋芒毕露，也因此在视觉上更具活力（图36）。她一直就该主题进行艺术创作，直到

图 34 《圆形》，罗贝尔·德洛奈，1930 年。像库普卡一样，德洛奈该系列的创作也始于对色彩环的研究，但是在这个职业阶段，德洛奈还是倾向于认为，这些艺术作品与他在法国进行的对自然的研究更为相关。

1979 年逝世。

　　另一位利用全自然光谱色营造光和光的律动的早期的现代主义艺术家先驱，就是比利时艺术家乔治·范通厄洛（Georges Vantongerloo，1886—1944），他还是荷兰"风格派"的一员。1920 年左右，范通厄洛基于包括色彩在内的不可见振动精心设计开发出了一套审美标准。色彩是"绝对频谱"的一部分，其内容可延伸至声、热及化学"射线"等领域。与另一位荷兰"风格派"成员——画家皮特·蒙德里安（Piet Mondrian，1872—1944）（图 37）一样，范通厄洛也在很大程度上受到了神智学家 M. H. J. 舍恩梅克斯（M. H. J. Schoenmaekers）的理论影响。舍恩梅克斯的著作《世界新图像》（*New Image of the World*，1915 年）中就有色彩理论的章节，其中写道：基本色之蓝是水平的犹如天空，基本色黄是垂直的犹如太阳射线，两者混合可产生绿色。借用歌德的《颜色论》（*Theory of Colours*，1810 年）中的概念，绿色通过一种"更高级的"处理方法，可

图 35 《芬兰女人》(*Finlandaise*), 1908 年, 索尼娅·德洛奈。

转变成红色。通过对三种传统原色的运用, 范通厄洛的名字在 1918 年开始与荷兰"风格派"联系在一起, 他发展了一组光谱色系, 为了纪念牛顿, 他将该组颜色命名为"虹之七色", 但这立刻触怒了圈内最具教条主义的画家蒙德里安。范通厄洛将每种色彩都组织在栅格之中(图 38), 色彩的位置分布经过严格定义, 由精密的数学方法计算得出; 调色时所用的原色的比例也很精确, 能够确保等量颜料在旋转色轮上混合出中性灰。蒙德里安起初认为该理论可能在未来具有一定的可行性, 但之后, 他在与荷兰"风格派"的发起人特奥·范杜斯堡(Theo van Doesburg)的

图 36 《构图》（*Composition*），1938 年，索尼娅·德洛奈。在对生动色彩的感知方面，索尼娅比她的丈夫罗贝尔更强。她是野兽主义画家（图 35），而他的丈夫是新印象主义画家，后者通常更关注用色彩来创造光和光的律动，而不是"为色彩而色彩"，不过索尼娅的抽象艺术表达形式，基本上都是以罗贝尔的创作为基础的。

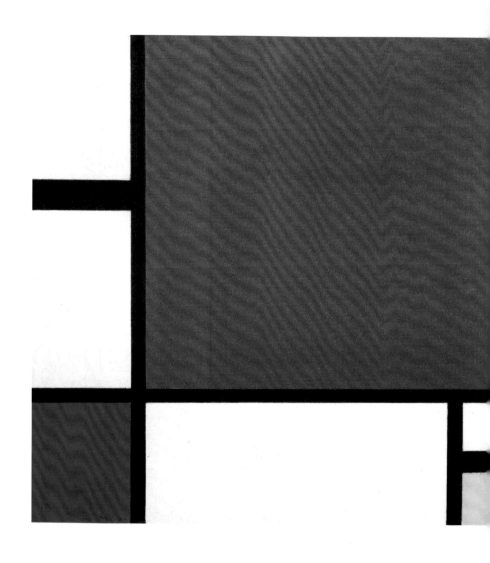

图 37 《红、蓝、黄的构成》（ *Composition in Red, Blue and Yellow* ），皮特·蒙德里安，1930 年。布面油画，46cm×46cm，苏黎世市立美术馆。2006 蒙德里安 / 霍尔茨曼信托，美国版权代表：HCR 国际，弗吉尼亚州，沃伦顿市。蒙德里安对神智学（参见 165 页）很感兴趣，1917 年以后，艺术应该与自然相对立的观点在他心中扎根，他还认为艺术的语言应该仅限于水平线、垂直线和三原色。

图 38 《习作之布鲁塞尔》（*Study, Brussels*），乔治·范通厄洛，1918 年。比利时的荷兰风格派画家范通厄洛，也是最早将色块以栅格的形式排列的艺术家之一，他的这种栅格状结构系由 20 世纪早期的实验心理学派生而来。与其他荷兰风格派艺术家不同的是，范通厄洛在作品中配置的是"自然"范围的光谱色。

通信中写道，范通厄洛"对自然的方式和艺术的方式之间的区别没有任何概念"。范通厄洛于 1924 年在《艺术与未来》（*Art and the Future*）上发表了 1920 年写的论文《联合》（*Unity*），在文中他似乎想就蒙德里安的指责进行反驳，他写道："绘画造型方法（plastique）完全藏匿于色彩领域之中，不需要引入任何自然元素。"至此，他从根本上精简了他的那套色彩，虽然不会再以红、黄、蓝三原色作为仅有的选择。

　　构成主义在 20 世纪 30 年代和 40 年代日趋成熟，阐明了前期运动的精神支撑，并以更为直接的对技术和社会的承诺取而代之。格哈德·里希特（Gerhard Richter，生于 1932 年）在 20 世纪 60 年代初翻开了他艺术生涯的另一篇章，其间他完成了一幅包含多达 40966 种色彩的栅格构

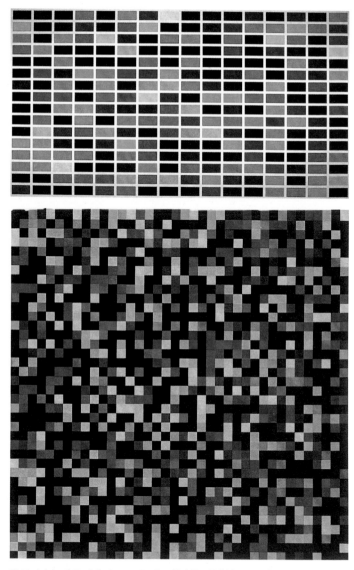

图 39（上）《256 色》（*256 Colours*），格哈德·里希特，1974 年（1984 年重绘）。
里希特从早期现代主义那里汲取了栅格元素，然而却将多达 40,966 种的色彩以随机的方
式分组并填充于格子之中。其中的偶然因素使得"自然"的概念再次被引入了美学范畴，
但方式略显迂回。

图 40（下）《光谱色的随机排列》，埃尔斯沃斯·凯利，1951—1953 年。作为一个身
处超现实主义时期的巴黎的美国人，凯利在他的早期作品中充分利用了偶然性，在他的《光
谱》系列中，他强调了这样的观点：既然所有的光谱色混合在一起组成白色，那么它们的
排列顺序就不重要了。

图 41 《环状结构的十五种系统的色彩系列》（ *Fifteen Systematic Colour Series in a Circular Form* ），理查德·保罗·洛泽，1952/1983 年。洛泽将全套光谱色排列组合，构成了非常绚丽夺目的方格结构，这也正是他构造个人特色的色环的参考点。

图作品，似乎是在向家用油漆生产商的色表致意（图 39）。然而他解释说，作品中显而易见的随意性是在表达一种态度，以波普艺术的精神反对新构成主义者们，例如阿伯斯（图 2，91）的虔诚的严肃性。而且基于三原色和灰色，作品本身自成体系。里希特在 1974 年有些模棱两可地解释道："色彩在方格中的分布由一种随机的过程来确定，这是为了达到一种分散且无差别的整体效果，与富有刺激性的细节结合起来——刚性的网格可以避免具象的产生，虽然这一切能被毫不费力地察觉到。"

在战后时期，随机性和偶然性还是非常具有纽约风格的审美策略，但随着超现实主义的到来，它们还成为了 20 世纪 50 年代在巴黎进行创作的美国画家埃尔斯沃斯·凯利（Ellsworth Kelly，生于 1923 年）的最为突出的绘画方法。凯利的《光谱色的随机排列》（*Spectrum Colors Arranged by Chance*）系列作品（图 40）绘制于 1951 年至 1953 年，其中有 8 幅保留了下来。而后，凯利又在 20 世纪 60 年代末完成了同样具有随机性的《光谱》（*Spectrum*）系列。新超现实主义的意外之得与新构成主义的栅格，在凯利的作品中以生动的方式得到了结合，光谱色的系统性潜力也是使作品达到如此效果的原因之一。

几乎可以肯定，里希特心中的另一位色彩构成主义画家，是瑞士画家理查德·保罗·洛泽（Richard Paul Lohse，1902—1988）。后者的色彩探究，是将全套光谱色排布成无穷的独出心裁的系列（图 41）。范通厄洛认为他的色彩是这个世界的振动特性的可见的表现，其背后的不可见结构，在洛泽看来，则在很大程度上与拓扑学有关。洛泽的创作通常从色环出发，虽然他对很多色环都有浓厚的兴趣，例如歌德的色环或是德国化学家和色彩理论学家威廉·奥斯特瓦尔德（Wilhelm Ostwald）的色环，但他总会构建属于他自己的版本。就此而言，他完成了蒙德里安的梦想：完完全全"以艺术的方式"进行创作。洛泽的拓扑学方法坚持认为，色彩应被视为独立的个体：

> 从同色系的色彩中分离出去并与其他色彩划清界限，是色方元素的同质性的首要条件。如果将一个方形结构构思为让一种色和相同的色的元素接近一个或更多的角，那么色方作为一种元素、作为一种坐标系的价值因子的完整性和意义，就会受到损害，色方及其组成作为一种有效的个体的自主性就被废除了。

洛泽还认为，一幅画中每一种色彩所占据的区域必须相等。对于他来说，这其中除了美学意义之外还包含了一层社会意义。他在临终前写道："群体中包含着个体的可能性。"洛泽绘画作品的表面的完美匿名性与他个人色彩浓厚的色彩感形成强烈对比，这与他所推崇的技术世界步调一致："全球技术战略的媒介和方法只有通过一种具有建设性的、有逻辑的、系统的或者连续的艺术形式来呈现，这种形式是对文明结构的升华了的、具有批判性的呼应，而其他类型的艺术则无法对此进行合理的表达。"

源自光的艺术

20世纪后期的技术为艺术家们提供一种利用光的原理发明的强有力的新媒介——全息图。这项技术在20世纪60年代得到了发展，利用激光制造单一波长的光线（相干光）的可行性让人类第一次在平坦的表面上创造有相当深度的图像成为可能。当然，相干光是单色的，所以所有

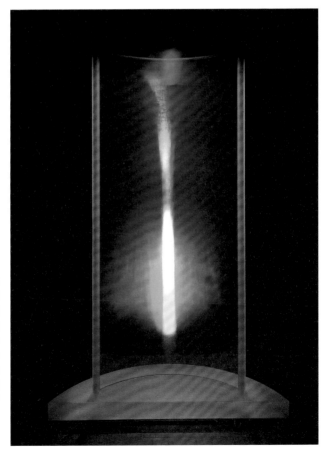

图42《校准》，萨莉·韦伯，1987年。全息摄影术在20世纪70年代至80年代间由艺术家们所推动，让激光来复制第三维。在此作品中，韦伯构筑了一个色柱，不同的色彩相互混合，最终化作白光，效果随观者所在的不同位置而变化。

的早期全息影像也都是单色的，而且播放时所用光线的波长都较长，呈红色或黄色。但在 1969 年，热衷于全息技术的美国科学家史蒂芬·本顿（Stephen Benton）发明了一种方法，成功地在单幅全息图中记录下了所有光谱色，他把这种技术称为"彩虹全息术"。这种类型的全息技术只能呈现相对浅的空间信息，纸币和信用卡上的防伪标识就利用了这一技术，因此为大家所熟知。但是，艺术家们运用彩虹全息术则是为了更大的用途。美国雕塑家萨莉·韦伯（Sally Weber）在《校准》（*Alignment*）（图 42）中制造出红、绿、蓝（加色法三原色或色光三原色）三种颜色的光束，光束停留于一面弧形的丙烯酸屏幕前 6—8 英尺处，合并的光束会产生其他的色彩，最终形成白色的光芒，随观者所在位置的不同而变化。该作品例证了韦伯（生于 1953 年）所谓的"时间、空间和光的自然融合"，其与古埃及、古代美洲等许多古代文明中的光文化唯一的区别，就在于该作品利用了高科技。至此，人类终于掌控了"偶然的"色彩的神秘之处并将其用于美学领域。

互补色

长久以来艺术家们最为关注的互补色概念，出自牛顿的《光学》，正如我们所见，该概念源于牛顿观察薄板色彩现象的实验（图 33）。在 18 世纪末，人们开始将这些互补色与一些新研究——眼睛受强烈色彩刺激而疲劳时所出现的有色残留图像序列（图 43）——进行关联，同样被关联的还有影子中的对比色，它们产生于两种光线同时对同一物体的照射。现代光艺术家提供的有震撼力的艺术作品资源，使得残留图像的产生更显而易见了。例如，丹·弗莱文（Dan Flavin，1933—1996）就在 1969 年以一种非常引人注目的方式用对比色创作了一件艺术作品——《无题（致帕特和鲍勃·罗姆）》[*Untitled*（ *to Pat and Bob Rohm*）]，即使是短暂地对一块强烈的黄 / 绿色曝光，也会在周围的画廊白墙上诱发浓烈的紫 / 紫罗兰色的残像（图 44）。

图43 《视觉光谱》（*Ocular Spectra*），出自《英国皇家哲学会刊》（*Philosophical Transactions of the Royal Society*）第76期，罗伯特·韦林·达尔文（Robert Waring Darwin），1786年。该图展示了盯住一个黑点一段时间后在黑点周围产生的色晕的渐进次序。当受到强光或强烈色彩刺激时，人眼中会产生对比的色彩，而达尔文就是第一批对该现象进行系统性探究的研究人员之一。他的对比色方案与"牛顿环"（见图33）中的非常接近，且融入了1800年左右的互补色理论中。

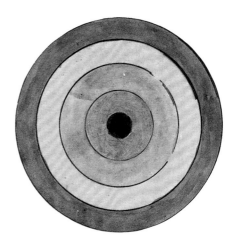

　　1800年左右，德国和法国的研究人员把这些自然而然产生的成对的对比的色称为"互补色"。互补色对比在整个19世纪被广泛地认为是最和谐的，因为互补色构成了三种原色的集合体：例如，红色与绿色相对，而后者由余下的两种原色等量混合而成。

　　这一类最强的对比被艺术家们沿用已久，例如中世纪后期的德国绘画尤其青睐高饱和度的红色和绿色（图45），而基于观测者眼球的生理学活动展开的关于互补色的重要性的讨论也并不完全具有说服力，我们将在下一章中进行有关讨论。不过，在19世纪的科学实证主义的语境中，互补对比被当做是独一无二的通往色彩和谐的关键之路，这个观点通过米歇尔—欧仁·谢弗勒尔著写的享有全球影响力的著作《论色彩对比的法则》（*De la loi du contraste simultane des couleurs*，1839年）而被赋予了法律的效力。尽管谢弗勒尔在绘画方面的品味很保守，更偏爱相似色相的微妙对比，但他的这部巨著还是被翻译成了英文和德文，并成为了调出和谐色彩的基本指南，被很多艺术家和理论家视作互补色方面的基本教义。最举足轻重的理论家当属法国评论家、历史学家夏尔·勃朗（Charles Blanc），在19世纪80年代那重要的十年中，许多重要的法国先锋派画家们都拜读过他所著写的《绘画艺术的法则》（*Grammaire des arts du dessin*，1867年）。勃朗略带倾向性的观点认为，浪漫主义时期法国最

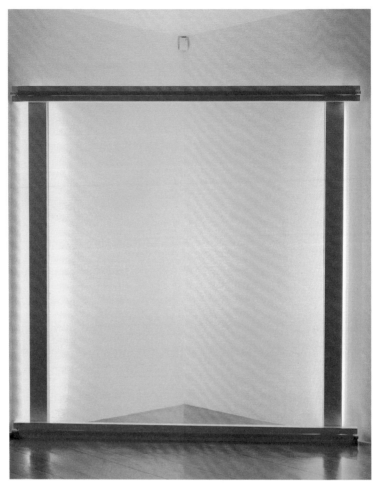

图 44 《无题（致帕特和鲍勃·罗姆）》，丹·弗莱文，1969 年。这件表面上看似简单的作品，依赖强烈的光刺激来诱发色彩浓烈的残像。

伟大的色彩大师欧仁·德拉克洛瓦（Eugène Delacroix，1798—1863）是一个彻底的科学画家，他吸收和利用了谢弗勒尔的"数学色彩规则"。几乎可以肯定的是，对于 19 世纪早期一位备受尊敬的画家的这样一种认可，是吸引年轻艺术家采用互补色方法的原因，毋庸置疑，就连他们之中最不肯妥协的文森特·梵·高（Vincent van Gogh，1853—1890）也不例外。

19 世纪 80 年代早期，当时梵·高正在荷兰自学绘画，他在给他的

图 45　《三位一体与受难的耶稣》（*The Trinity with Christ Crucified*），于奥地利，约 1410—1440 年。红绿之间的强烈对比，是中世纪德国绘画与玻璃彩绘（见图 13）的特点。这两种色彩被视为是最基本的互补色。

弟弟提奥（Theo）的信中写道，他于 1884 年阅读勃朗的著作时发觉，"色彩的法则有着无法言表的美丽，而这正是因为色彩是非偶然的"（第 371号信件）。次年，他向提奥报告道：

> 我已完全被色彩的法则所吸引。要是他们在我们年幼时就教我们这些那该多好啊！但是，命运使然，绝大数人在漫长的寻觅光的路途上都遭遇了艰难险阻。德拉克洛瓦首先规定了色彩的法则，并将其与光联结在一起，还将其完善后使之能够被普遍运用。正如牛顿发现了万有引力，史蒂文森发明了蒸汽火车——色彩的法则就像是一束光线——这是毋庸置疑的。（第 430 号信件）

梵·高在 19 世纪 80 年代以后的许多绘画作品中充分发掘利用了他对互补色的激情，但是这并不是他唯一热衷的，正如他在 1885 年写给提奥的另一封信中解释的那样：

> 寻找影响互补色、同时对比，以及互补色中和的各个因素，是首要和原则性的问题；第二个问题是关于两个近似色之间的相互影响，比如深红色对朱红色的影响，或者是粉紫色对蓝紫色的影响；第三个问题存在于淡蓝色对深蓝色、粉红色对棕红色、柠檬黄对麂皮黄等色组之中。然而，最为重要的还是第一个问题。（第 428 号信件）

梵·高最著名的绘画之一—《在阿尔的卧室》(*Bedroom in Arles*)，恰恰与谢弗勒尔所强调的背道而驰，该作品 1888 年 10 月作于阿尔（图 46）。梵·高在作品中展示了他渴望且有能力充分运用和安排各种对比色、类似色和互补色。

图 46 《在阿尔的卧室》，文森特·梵·高，1888 年。该作品是文森特首批有意识地采用互补色对创作的绘画之一。

这位有表述欲的艺术家在写给弟弟的信中又一次地解释了他的构想。"色彩"，他写道，"表达了一切……（而且）总体来说，在此处暗示休息或睡眠"。

> 墙面是淡紫色的。地板是瓦红色的。床和椅子的木头是新鲜黄油般的黄色，床单和枕头是淡淡的偏绿的柠檬黄。
>
> 被单为鲜红色。窗户为绿色。
>
> 梳妆台为橙色，脸盆为蓝色。
>
> 门为丁香紫。

（第 554 号信件）

一封写给高更的信（编号 B. 22）中，我们不仅发现梵·高把"实际的"的白色松木家具画成了"铬黄色"，显然是要创造一种床单和枕头的"近似色"，正如地板上那"破损的褪了色的红"与缝隙间的"血红色"的近似色组合，还发现了镜子中的"一抹"白色，配以黑色的外框，"是为了取得作品中的第四对互补色"。我们还注意到许多近似的蓝色调，如蓝色系的门和玻璃制品，还有红色瓷砖间的绿色水泥，以及绿色毛巾上的红色条纹。这间卧室是一个全面的色彩对比的阵列，梵·高称，这些对比增加了作品营造的那份"绝对的宁静"。他在给提奥的信中这样写道："观看这幅画，应当让大脑，确切说是想象力，得到休憩。"

与梵·高同期的年轻新印象主义画家乔治·修拉（Georges Seurat，1859—1891）也认为艺术的本质就是和谐，这种和谐的实现不仅需要运用相似元素，也需要采用对立元素。与他的朋友和支持者梵·高不同的是，卡米耶·毕沙罗（Camille Pissarro，1830—1903）一度也是印象主义画家，他与修拉一起采用了点彩画法，一种新印象派技法，不过这位年轻的画家起初更倾向于色彩对比而非相近色调。他曾在 1887 年把自己形容成一位"光之印象派画家"（impressionistes-luministes），显而易见的是，他作为画家的首要目标就是用色彩重新组成光。当他还是个学生的时候，他就从勃朗的著作中熟悉了谢弗勒尔的观念，勃朗举例说明了利用色彩小圆点创造

图 47 《但丁与圣人的灵魂》（*Dante et les esprits des grands hommes*），欧仁·德拉克洛瓦，1841—1845年。德拉克洛瓦为了创作这幅大型的建筑装饰画［这幅穹顶壁画位于巴黎的卢森堡宫，壁画圆周长度达 20.40 米（约 67 英尺）］，将一种宽影线技法应用于对比的色彩中，远距离看去会有视觉混合效果，他因此赢得了"科学"画家的美誉。

视觉混合效果的技法，这在后来就成为了新印象主义绘画的主要特征。修拉一定是被勃朗描述的德拉克洛瓦作品中的粉色、鲜绿色的影线所打动，该作品就位于巴黎卢森堡宫的穹顶上（图 47），在那昏暗的环境里，"用色彩创造出了人造的光芒"。

自谢弗勒尔的著作在 1839 年出版后，对于光中蕴含的色彩和用色彩重构光的研究，得到了前所未有的发展，贡献尤其突出的有德国科学家赫尔曼·冯·亥姆霍兹（Hermann von Helmholtz）和英国科学家詹姆斯·克拉克·麦克斯韦（James Clerk Maxwell）。毕沙罗熟知麦克斯韦的研究，修拉阅读过鲁德的《现代色彩学》并做了笔记，所以他有机会在鲁德的《现代色彩学》中找到其自身的理念与亥姆霍兹理念的融合。他还保存了一份鲁德绘制的亥姆霍兹学派的色环（图 31）。谢弗勒尔提出的互补色方案相对简单且对称，其最显著优点在于，光谱红对应的是一种偏绿的青色，蓝色对应的是橘黄

图48 《大碗岛的星期日》（局部），乔治·修拉，1884—1886年。

色，黄色对应的是偏红的自然的深蓝色。更微妙的互补色出现在修拉的一些画作中，最著名的就是《大碗岛的星期日》（*A Sunday on La Grande Jatte*）（图48），同时存在于画面之中的还有谢弗勒尔式的色组。在修拉短暂的一生中，他不断地思考研究那些在当时已被取代的互补色系统。

　　也许，更为重要的是，唯一保留下来的修拉的关于谢弗勒尔著作的笔记并不是摘自关于色相的篇章，而是关于调子，抑或色彩明暗的："把深色排列在不同色系但相对较浅的色彩旁，可以提亮前者的色调而使后

图 49 《夫妇》（*Le couple*），乔治·修拉，1884—1885 年。《大碗岛的星期日》是新印象主义点彩技法的首要代表作品，点彩法以明亮夺目的视觉混合取代了调色混合。但是修拉的许多黑白习作，本图就是其中之一，表明了修拉依旧对绘画中强烈的调子十分感兴趣。

者看起来更暗，与单纯地用互补色混合修饰的方法比较而言，该方法是相对独立的。"显然，从修拉的诸多精彩的彩色粉笔画作（图 49）中可以看出，他的作品构思首先都是从光影入手的。毕竟，他就学于美术学院，绘画中的明暗对照法这样的传统价值在那里依旧非常受重视。夏尔·勃朗曾经两度担任美术学院的主任，他撰写的《法则》（*Grammaire*）中含有很关键的一章，专门阐述明暗对照法，而且总结认为，在绘画中，着色不过是更微妙细致的光影而已。亨利·莱曼（Henri Lehmann）是修拉在美术学院学习时的老师，他本人便是明暗对照法的大师，曾就该主题与他人合撰了一篇文章发表于校刊。在后面的章节中，我们会明白，暗部是生成图像的重要因素。莱昂纳多·达·芬奇（Leonardo da Vinci）就曾计划把阴影分成七个部分进行研究，那时有一个得到确认的传统，认为色彩并非蕴含在光之中，而在黑暗之中，因为黑暗即是所有色彩的总和。即使在牛顿的时代，人们也是这么认为的。但在下一章我们会发现，修

图 50 《圆形幻画 2000》，桑福德·武尔姆费尔德。（参见 111 页）

拉的色彩技法相对于光的客观现象而言，与心理学的关系更为密切。

　　"光泽"，是修拉的点彩技法挖掘利用得最深入的光学效应之一，鲁德在视觉混合的语境中对此有过描述："调和色彩使画面的表面看上去有微微的闪烁发光，尽管会有几分不完美——该种效果，无疑源自其中某些成分时隐时现的感觉。它会传递给表面一种柔和的、独特的光芒，并赋予其一定的透明度，使我们似乎可以看穿或看透它。"在 20 世纪早期，德国心理学家戴维·卡茨（David Katz）集中研究了光泽现象，他所著的英文版《颜色世界》（*The World of Colour*，1935 年），似乎对一些纽约画家来说有着难以抗拒的吸引力。其中最早的有马克·罗斯科（Mark Rothko，1903—1970），当代则有桑福德·武尔姆费尔德（Sanford Wurmfeld，生于 1942 年），他更为明确地植根于修拉的传统。武尔姆费尔德的直径为 9 米（30 英尺）的作品《圆形幻画 2000》（*Cyclorama*

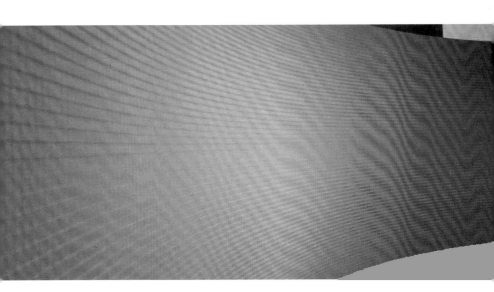

图 51 《圆形幻画 2000》（局部），桑福德·武尔姆费尔德。植根于修拉的视觉混合技法，并受到了 19 世纪与 20 世纪的环形全景图的启发，武尔姆费尔德创作了一幅晶灿的画作。许许多多上了色的小方块按光谱顺序排列在圆筒状装置的内壁。正如传统的全景图，作品通过把观众限制在一个小小的中央平台以激发其持久地观赏，达到增强光学效应的效果。（参见 111 页）

2000）（图 50，51），于 21 世纪初在德国、匈牙利和苏格兰巡回展出。作品用光将观者围绕，光线在此处的作用为表现光泽或"膜层颜色"（卡茨），它们由表面完美地着色的成千上万个小方块生成，熠熠生辉的圆环包含了 24 种色相。该作品与传统的全景图相类似且有所关联，并与詹姆斯·特瑞尔（James Turrell，生于 1943 年）的光创作品（图 52）不谋而合。但与特瑞尔的作品不同的是，《圆形幻画 2000》将观众限制在一个有限的观赏区域，以利于激发观者去感受表面与膜层颜色之间充分有效的互动。用迈克尔·费尔（Michael Fehr）的话说，观众既是画作的观看者，又是观看行为本身的"观察者"。这件艺术作品乍看之下，是一幅格外巨大的、惊艳的新构成主义画作，其实却是一个涉及视觉心理学的奇妙装置。

图 52（下页）《夜路》（*Night Passage*），詹姆斯·特瑞尔，1987 年。特瑞尔的作品依赖于人眼在极端的光线或黑暗中的反应。该艺术装置，为观者准备了一面有色光的墙，借由漆黑的环境中的视觉适应，将其引向作品本身。

图 53 《包厢》（*La Loge*），1874 年，皮埃尔-奥古斯特·雷诺阿。黑色的服饰在早期被认为与节制有关联，但到了 19 世纪黑色却成为时尚之色而广为流行，尤其是作为晚礼服的用色，这便给了画家们一个新的试验黑色的机会。雷诺阿使用黑色的技巧备受推崇，他是能够熟练运用这种色彩的法国现代画家之一。

第二章 色彩心理学

　　我们了解到，无论是在现实世界还是绘画艺术中，暗部对于色彩结构认知来说都是非常重要的一个元素，但是将它看成是从心理学层面探究色彩的一个好的起始点，似乎又似是而非。在世界上的许多地区，或是在蒙昧的时代里，黑色作为主要代表色，一直被视为是消极的。举例来说，1960 年代的一项针对墨西哥学生的调查显示，黑色是最易让人产生主观联想的色彩，而且这些联想都是消极负面的：死亡，抑郁，诸如此类。就像对于时尚业和营销业具有价值的众多针对色彩偏好所作的探究一样，该调查颇为典型，由实验心理学研究人员操作完成，而这门学科始于 19 世纪中叶。不过，除了德国心理学家 G·J·冯·阿勒施（G. J. von Allesch）在 20 世纪早期所作实验的基础上进行的广泛但尚无定论的研究之外，艺术家们很少涉及这方面的讨论。1900 年左右，法国画家们对光线有着一种广泛的迷恋，在这样的背景下，诸如皮埃尔−奥古斯特·雷诺阿（Pierre-Auguste Renoir，1841—1919）（图 53），爱德华·马奈（Édouard Manet，1832—1883）（图 54）和亨利·马蒂斯（Henry Matisse）（图 5）等一批把黑色运用得炉火纯青的大师，他们借由将黑色本身看作一种光从而为其创造了一种积极的转变，便不令人觉得惊讶了。卡米耶·毕沙

图 54 《扎沙里耶·阿斯特吕克肖像》(*Portrait of Zacharie Astruc*),1866年,爱德华·马奈。马蒂斯认为,有些艺术家不仅能用黑色来表现一种颜色,而且能用它来描绘一种光线,这其中就包括雷诺阿和马奈。

罗（Camille Pissarro）曾经在与马蒂斯讨论时说，马奈"用黑色描绘出了光线"。画家的这个兴趣所在，与法国当代物理学的一个阶段惊人地重合，后者那时正极大地关注于光谱中不可见的区域，尤其是 X 光辐射，在这个领域中，"黑色的光"是一个新的概念，但这个概念在不久之后就被科学所摒弃。然而，我们从德洛奈这里可以发现，物理学和光学并不完全适合所有的艺术家。因此，我们确实应当转到实验心理学方面，来为艺术的态度和行为寻求最相近的类比，尤其是在色彩方面。

首先，需要说明的是：发展心理学长期把色彩视作婴儿期获取知识的一项重要指标，伴随着一种带有浪漫主义和早期现代主义色彩的，像孩童般看待世界的梦想的出现，这项研究很快便进入了视觉美学的范畴。

浪漫主义兼理想主义教育家弗里德里希·福禄培尔（Friedrich Froebel，1782—1852）把他著名的"恩物"（gifts，即福禄培尔为儿童设计的教具——译注）引入婴幼儿教学之中，所谓"恩物"就是一组形状抽象、色彩鲜艳的幼儿园玩具，其中的一些部件可以当作积木使用，而这一切都旨在鼓励创造力的发挥。"恩物"产生了很深远的影响，例如，美国建筑师弗兰克·劳埃德·赖特（Frank Lloyd Wright，1869—1959）的现代主义建筑，建筑师本人就是在福禄培尔幼儿教育法中长大的，他宣称："幸运的是，当人类被简单的形状和纯正明亮的色彩所吸引时，准确的意义上来说，就会表现得像孩子一样。"赖特在自传中回忆到，福禄培尔积木的"柔和且明亮"的色彩和简单的形状，让他儿时的游戏里伴随着对 15 世纪佛罗伦萨画家弗拉·安吉利科（Fra Angelico）描绘的"身披鲜艳长袍的天使"的遐想，"一些天使穿着红色长袍，一些穿着蓝色的，还有一些天使的长袍是绿色的，不过唯一的一位天使，也是最可爱的那位，身着黄色长袍，会飞来并盘旋于桌子上方"。然而岁月使赖特的色感变得清醒理智，在他后期的建筑作品中，他运用了温暖、柔和且"乐观"的自然色彩，这些色彩正如他的理论中所提倡的那样。

20 世纪后期，有关婴幼儿发展的研究证实了福禄培尔的观察，幼儿对于色彩的区分在时间上优先于对形状的区分，而且婴儿在能够使用语言命名色彩的数年以前，就能区分红色、蓝色、绿色和黄色。的确，儿童在命名色彩时频频犯错；查尔斯·达尔文（Charles Darwin）曾相当错误地认为，他的一个时年 7 岁的孩子是色盲，因为他习惯性地说错色彩的名称。

弗兰茨·西塞克（Franz Cisek，1865—1946）是 20 世纪早期最有影响力的艺术教师和儿童艺术教育理论家之一，他曾于 1900 年左右在维也纳管理一所私立艺术学校，后来又任教于那里的工艺学校。西塞克笃信音乐与色彩的治疗价值，且认为"精心地绘画"能够帮助患病的孩子，他的意思是运用最"纯"的原色，其中，红色是"世界上最美丽的色彩"。"冷的"且经混合的色彩是软弱的象征："软弱的几代人偏爱绿色、蓝色

图 55 《运动员》（*Sportsmen*），约 1930—1932 年，卡济米尔·马列维奇。这些带空白的木偶样的人形，着色明亮，使人想起幼儿园的玩具。

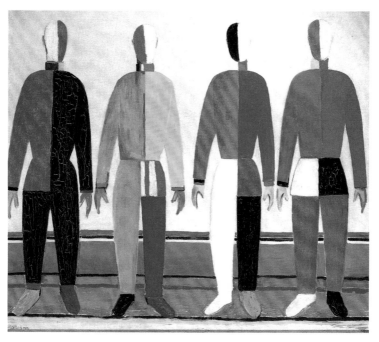

和淡紫色。"在 1930 年代，马克·罗斯科（Mark Rothko）在威廉·维奥拉（Wilhelm Viola）的著作《儿童艺术与弗兰茨·西塞克》（*Child Art and Franz Cisek*，1936 年）中发现了西塞克的观点，该著作认为，西塞克这位维也纳的教师"是第一位发现许多儿童喜欢以色彩起稿，而不事先进行任何勾绘的人"；罗斯科当时在笔记本里写道："按照传统，绘画要以某个学术概念作为出发点。我们可以从色彩入手。"正如我们之后所看到的，他遵循了自己提出的这个建议。

俄罗斯至上主义者卡济米尔·马列维奇（Kazimir Malevich，1878—1935）（图 55）在 1917 年俄国革命后也积极致力于艺术教育改革，他借鉴现代心理学，引入了一些实验方法。他在晚年撰写的一篇文章中提到：

> （人）在儿童期偏爱鲜艳的色彩，并且把它们理解为纯色的形式——黄、红、绿、蓝。这……是儿童的共性，不论是来自城市抑或乡村，他们的知觉似乎在同一水平上。我们唯一注意到的区别就是，相较于来自乡村的孩子，城市里的孩子更常使用光谱上深色端的纯色。

马列维奇这最后的观察为他的评论作了铺垫。他认为，城市工作者服饰的色彩相对较深，色感较弱，度假时的装束除外。虽然这类节庆装束可以帮助城市规划者选择建筑外部的色彩，但是城市真正的活力在于工作，黑与白的比例"属于经济技术工业发展的最高点"（原文中着重强调）。至少从意大利文艺复兴时期开始，黑色或深色的衣装就被视为最恰当的商务装束。画家的自我表现中一定含有某种反讽，因为在那些年他深受苏联官方的烦扰，故而画中人物着装似乎是一种早期文艺复兴的节庆装束（图 56）。

现代主义艺术中对明亮的原色的偏好始于托儿所。荷兰风格派建筑师、设计师格里特·里特韦尔（Gerrit Rietveld，1888—1964）的标志性作品红蓝椅（Red-Blue Chair）（图 57）的用色，就源自他设计的育儿家具；在德国现代主义设计学府魏玛包豪斯学院成立早期，正统的形状

图 56 《艺术家（自画像）》［*The Artist (Self-Portrait)*］，1933 年，卡济米尔·马列维奇。马列维奇的鲜艳服装令人回想起意大利文艺复兴时期身着鲜艳混色服饰的花花公子，对于这位开创了早期抽象艺术（图 183）中最简朴的阶段的艺术家来说，这是值得注意的。色彩被用作为一种对苏联单调乏味的生活的反抗。

图57 《红蓝椅》(Red-Blue Chair),约1923年(重制),格里特·里特韦尔。这个现代主义的标志性象征,被涂上了原色和黑色。与仅使用深色单色调的最初版本相比,这样的设计增添了色彩的活力。

坐标[红色的正方形,蓝色的圆圈,黄色的三角形(见第三章)],在皮特·科勒尔(Peter Keler,1898—1982)为他的老师——瑞士画家约翰内斯·伊顿(Johannes Itten)的儿子所设计的摇篮(图58)中得到了体现。

同样在早期的包豪斯学院,由于在第一次世界大战后的经济萧条时期缺少优质原材料,"家具工作室"(the Furniture Workshop)频繁受雇生产色彩鲜明的儿童玩具(图59)。

在德国,实验心理学可追溯到歌德1810年的著作《颜色论》中的收尾章节。这位诗人在"道德联想参考下的色彩影响"的部分中,针对色彩偏好以及其他事项,进行了推测。他还就福禄培尔的教学可能受到儿童偏好的影响给出了看法:关于一种他称为"黄红色"的橙色,他写道,黄色才是其中的"最有能量的":"不足为奇的是,鲁莽、健壮、没有受过教育的人会特别喜欢这种颜色。未开化的国家对这种色彩的偏爱倾向是众所周知的,当孩子们独自使用颜料绘画时,他们从不会剩下朱红色和朱砂色(红丹)。"歌德对女性服饰中明显的色彩偏好也非常感兴趣。年轻的女性,他指出,"对玫瑰红、海绿色很着迷,(但是)年长的则对紫罗兰和深绿色感兴趣。金发女性偏爱紫罗兰,因为紫罗兰的对比色为淡黄色;深褐发色女性则偏爱蓝色,因为蓝色的对比色为橙色,她们都有充分的理由"。

这类思想让一个被称作拿撒勒画派(Nazarenes)的德国年轻的复兴

图 58 《婴儿床》（*Crib*），1922 年，皮特·科勒尔。科勒尔为伊顿的儿子设计的摇篮，恰当地把基本色彩与基本形状结合了起来，这随后成为了标准的包豪斯式风格，而包豪斯学院正是伊顿任教、科勒尔求学的地方（见第三章）。

图 59　木质积木，约 1922 年，埃伯哈德·施拉蒙（Eberhard Schrammen）。众多早期包豪斯玩具中的一例，是福禄培尔"恩物"的派生产物。

图 60 《意大利亚和日耳曼尼亚》（*Italia and Germania*），1828 年，弗里德里希·奥弗贝克。
作为在罗马的德国复兴主义画家拿撒勒画派的领袖，奥弗贝克引领了关于民族之间友谊的浪漫主义主题，通过运用头发和服饰的对比色来强化人物个性的差别。

主义艺术家群体为之着迷，该群体 19 世纪早期活跃于罗马。在这个民族主义上升的时期，南北地区民族之间的心理差异成为了一个重要的问题，而在这其中，色彩运用上的差异，在一些人看来或许是显而易见的。歌德写道：

> 色彩，与人类的特定的心智构架有关，是独特的性格和环境所导致的结果。在有活力的国家，例如法国，人们喜爱强烈的色彩，尤其是积极的色彩；在庄重的国家，例如英国和德国，人们偏爱穿

着类似稻草色和皮革色的黄色服装，并搭配以深蓝色。在崇尚外表高贵的国家，例如西班牙和意大利，人们则能忍痛放弃他们斗篷上的红色转而倾向消极的色彩（亦即蓝色）。

拿撒勒画派的领导人弗里德里希·奥弗贝克（Friedrich Overbeck，1789—1869）在1808年写道，金发连同灰色和深红色的裙装表达了"女性的温柔和可爱"，散发着"真正的女人味"。然而，在20年后，他为金发的日耳曼尼亚（图60）穿上了粉色、绿色、淡蓝色的衣服，并点缀以黄色。拥有褐色头发的意大利亚反而身着鲜艳的红色。一如既往地，裙装服从于不停变换的时尚。

新印象主义：心理艺术

没有什么能比1880年代形成于法国的全新的绘画技法更能说明19世纪艺术家吸收了实证主义的主流文化了：那些纯光谱色的小单元代表了光的分割（图48）。读者可能会认为，对这类"光之印象派画家"（impressionistes-luministes）的探讨应完全属于本书第一章的范畴：修拉的确写下过"光谱元素的纯度"系他技法的"基石"（原文中着重强调）所在。这些话出自一封他写给评论家费利克斯·费内翁（Féllx Fénéon）的信函，此人一直是对修拉的准科学技法的最有影响力的解读者，而这也得到了修拉本人的承认。然而同样是在1890年，修拉将他的"审美观"以一种颇为不同的脉络呈现给了另一位记者——莫里斯·波堡（Maurice Beaubourg）：

> 艺术即和谐。和谐是对立的类比，是相似的类比，是色调、色辉、线条的类比……这些组合可以是欢乐的、平静的、忧伤的……欢乐的色调是亮度主导的；欢乐的色辉是暖度主导的；欢乐的线条都置于水平轴之上。平静的色调源于暗与光的平衡；平静的色辉源于冷与暖的平衡；平静的线条皆水平。忧伤的色调是暗度主导的；忧伤的色辉是冷度主导的；忧伤的线条都方向向下（原文着重强调）。

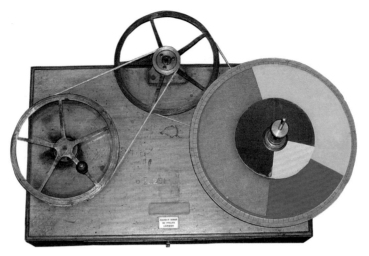

图 61 《麦克斯韦圆盘》（*Maxwell's Discs*），约 1855 年，詹姆斯·克拉克·麦克斯韦。早在公元 2 世纪，托勒密就描述了有人用旋转的圆盘进行视觉混合，到了中世纪以及 18 世纪，这种活动更是间或出现。但是直到 1800 年左右，人们才意识到光的三原色并不是红、黄、蓝，而旋转的彩色陀螺可以当作测量白光的色彩组分的精密工具。麦克斯韦用红、绿、蓝作为三原色，去匹配圆盘中央的淡灰色。色彩区域的比例都能调整，从而获得精准的匹配。（参见 35 页）

这些与色调或明度、色相或线条有关的关联完全是心理上的，也许正是修拉的朋友，数学家兼实证主义美学家查理·亨利（Charles Henry），引起了他的注意。虽然色彩对比的主观影响自亚里士多德时期以来就一直备受重视，但正如我们从第一章中所了解的，是米歇尔—欧仁·谢弗勒尔让它的重要性得以再一次地凸显。修拉在那封信中继续罗列他的技艺：视觉混合基于视觉残留的现象，早在古代，托勒密就已对其做了充分的讨论，而匹配适当的旋转圆盘，在 18 世纪和 19 世纪已用于判断混合色的组成部分（图 61）。另一类视觉混合，采用并列彩色圆点的形式，被早期的画家，尤其是细密画画家所采用，有关光学、细密画和剧场画，以及 17 世纪以后更普遍的绘画类型的文献，对此都有所探讨。但是在新印象主义画家之前，这些方法从未被用来重构光线。

从修拉的审美论述中可以清楚地看到，他至少在晚年时特别关注了色彩的表现价值。在这里，他利用了颜色是有温度的（图 62）这一新近

图 62 《路边的表演（巡游）》[*The Side Show (Parade)*]，1888 年，乔治·修拉。就像他强调通过点彩技法重构光线一样，修拉在其后期作品中也把创作的重点放在方向线和色温上。在该作品中，虽然我们看到的是凉爽的露天夜晚，但色温还是偏暖的。

的但被广泛接受的概念。关于四大基本元素的颜色，古代教条没有就这些颜色到底是什么给出统一的观点，但正是在绘画理论的背景下，暖冷色的概念才在 19 世纪初期发展起来。该概念密切地依赖于三原色学说，因为三原色中有两种暖色，只有一种冷色，这［以英国画家兼皇家艺术学院首任主席约书亚·雷诺兹爵士（Sir Joshua Reynolds）的想法为例］巩固了绘画中的色彩必须与"自然"相一致而以暖色为主导的法则。这种经验法则通常为浪漫主义者们所摒弃，尤其是约瑟夫·玛罗德·威廉·透纳（Joseph Mallord William Turner，1775—1851），他于 1830 年代展出了若干大部分为"冷色调的"画作（图 63），为此另一位画家弗兰克·霍华德（Frank Howard，1805—1866）在他的手册《色彩，一种艺术手段》（*Colour as a Means of Art*）（1838 年）中以"透纳的原则"（Turner's Principle）作了说明："透纳通过展示一幅作品如何由精妙渐变的蓝色部分和由浅冷绿

图 63 《上议院和下议院的火灾，1834 年 10 月 16 日》（*The Burning of the Houses of Lords and Commons, October 16th, 1834*），1834 年， J. M. W. 透纳。旧观念认为，画面应该拥有一种主导性的暖色调（通常由老旧的泛黄清漆所致），透纳是摒弃了的这一传统的最激进的画家。这里，他利用表现火与水的主题，以特定的元素来力推自己的冷着色"原则"。

图 64 《透纳的原则》（*Turner's Principle*），出自《色彩，一种艺术手段》，1838 年，弗兰克·霍华德。

图 65 《带笔记的色彩技法研究》[*Farbstudien mit Angaben zur Maltechnik (Colour Studies with Notes on Technique)*]，1913 年，瓦西里·康定斯基。在纸上记录的色彩对比中，暖色与冷色非常突出。

色辅助并由一抹偏棕的深红色提亮的白色部分组成的（图 64），来反驳色彩平衡的旧教条。"

最有影响力的 19 世纪英国评论家约翰·拉斯金（John Ruskin，1819—1900）虽然接受色温的概念，但是他争辩说，通过改变背景，任何颜色都能变成暖色或冷色。据色彩相对论的最主要的现代支持者约瑟夫·阿伯斯回忆，1920 年左右，当他还是一个待在弗朗茨·冯·斯图克（Franz von Stueck）位于慕尼黑的画室里的年轻画家的时候，有许多关于暖冷色的空间效应的"无果而终的争论"。康定斯基在他的早期非具象风格时期对色温很有兴趣，而且把色彩关系完全建立在这类对比上（图 65）。不过，正如他在《论艺术的精神》（ *On the Spiritual in Art*，1911 年）中所写的那样，在红色的环境中，"每一种颜色都能成为暖色或冷色"。

由于暖和冷其本身是完全相对的概念，所以两者之间有着连续的衡

图 66 《低潮，康卡勒》，1995 年，韦恩·罗伯茨。冷暖色在该作品中被赋予了调子的功能：深色为暖，浅色为冷。

量尺度。该尺度不像色谱那样每个梯度都代表着色相的变化，而类似于黑与白之间的灰度，颜色特征不随梯度变化而变化。澳大利亚画家韦恩·罗伯茨（Wayne Roberts，生于 1958 年）在 1990 年代探索了色度与灰度之间的关系，并得出了一个似是而非的结论，认为灰标的深色端对应着色谱上红色的，能量最小却是"暖"的那一端；浅色端对应的却是能量最强但最"冷"的那一端。据罗伯茨所说，完成于 1995 年的《低潮，康卡勒》（*Low Tide, Cancale*）（图 66）是"一种光的色彩调制的表现"，根据色彩的相对亮度，画面中亮区域被画成蓝紫色，而暗区域则画成了红黄色或绿色。正如罗伯茨所说，这不仅给画作增添了很强的活力，而且极具"光感"；这件作品强有力地证明了这个鲜为人知的真理——"暖"色实际上是冷的，而"冷"色则是暖的。

瑞士化学家海因利希·左林格（Heinrich Zollinger，生于 1919 年）为这个引人注目的悖论提供了物理学和生理学上的解释：

> 正如我们所知的，光谱中可见光的波长范围在 400 纳米到 700 纳米，而电磁辐射的波长和它的能量是成反比的。紫色与蓝色波长接近 400 纳米，所以它们的能量比可见光谱中长波长的那一端要强。红、橙、黄等"暖"色却不在高能的那端，而是在光谱中能量较低的一侧……明显的矛盾……在分子运动与光的波粒互补性的基础上还是可以理解的。如果紫外线被分子吸收，它的（高）能量会导致化学键的破裂和分子结构的破坏，或者提高某些电子的能量水平。在紫外线辐射强烈的地区，例如高山地区，因晒伤导致的不可逆的键断裂，是广为人知的。可见光的能量不足以让大多数的键产生断裂，但是却能提升电子的能量水平……在可见光谱的长波长段中，不但要考虑电子受到促进成为激发态这一色彩产生的物理原因，还要考虑另一种类型的电磁吸收……长波长可见光，甚至是近红外光，转换成了一个分子中特定原子之间化学键的拉伸旋转和弯曲振动运动。我们对这些振动的生理学上的感知即为热。因此，一盏红外线灯使我们觉得暖和，一盏紫外线灯却不能。

现在，暖度和冷度的概念在很大程度上依旧是色彩情感的核心，这种色彩情感在色彩疗法中表现得最为具体。人类对色彩的治疗作用的信仰有着悠久的历史；现代的从业者将其追溯到古代埃及、波斯、中国和印度，还追溯到中世纪时期欧洲运用珍贵宝石的实践活动。但是，正如我们可能会预料到的那样，正是以 19 世纪的心理学为主要背景，它得到了更广泛的传播并引起了艺术家们的兴趣。这里，两极性和互补性的概念变得至关重要。歌德认为，人眼在受到来自一种颜色的强烈刺激后，会对该种颜色的互补色有所"需求"，而这种"需求"会延伸至整个人体组织：器官的失衡由相应的色彩加以识别，（举例来说，依照印度传统，

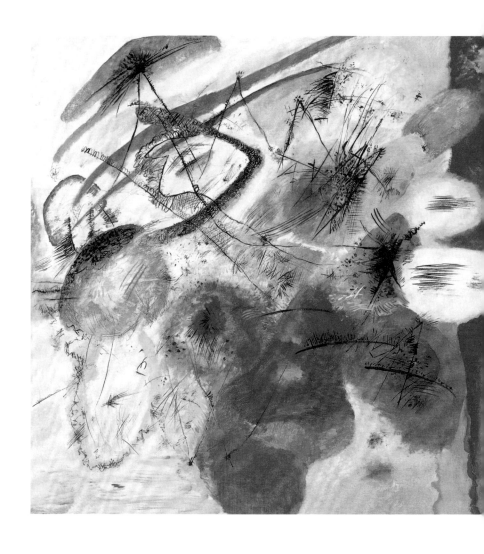

图 67 《黑色线条》（*Black Lines*），1913 年，瓦西里·康定斯基。该作品是康定斯基最早的画作之一，在主题参照方面有着完完全全的自由：色彩和线条是唯一的表达方式。

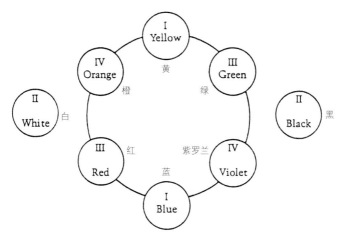

图 68 《色彩系统》（*Colour System*），出自《论艺术的精神》，图 III，1911 年，瓦西里·康定斯基。根据该图表，在基本色中，黄与蓝这组对比甚至优先于白与黑。

肾脏被视作靛蓝色，易混淆的是，胃部被视作深蓝色；而在中国，肾脏为橙色，胃部则为黄色。）而治疗方式就是将该部位暴露在互补色光线中。在色光疗法中，蓝色通常被当作红色的互补色，正如受到康定斯基指导的阿瑟·奥斯本·伊夫斯（Arthur Osborne Eaves）在 1906 年的手册中写到的那样。而康定斯基本人在《论艺术的精神》中承认：

> 任何一个听说过色彩疗法的人都知道，色光能对整个人体产生一种特殊的效果。为了充分利用色彩的力量［伊夫斯的著作名为"色彩的力量"（Die Kraefte der Farben 或 The Power of Colours）］而作的各种尝试及其在神经紊乱方面的不同应用再一次表明，红光对心脏能产生一种活跃的和刺激的效果；在另一方面，蓝色则会导致暂时的麻痹。

在这个时期，康定斯基迅速转而投身于非具象主义绘画（图 67），而如果色彩本身不会引发文化联想，并能直接与观看者的"心灵"沟通的话，那么它就会在这种尝试中发挥重要的作用。当时，关于色彩是否能够直接作用于人体组织还是仅仅凭联想起作用，是德国心理学界重要的论点，康定斯基与非联想论者站在了同一阵营并明确地表示：如果能够从动物，甚至是植物身上观测到（红光和蓝光产生的）这类效果，那么有关联想的解释便不攻自破了。无论如何，这些事实皆证明，色彩本身包含了巨大的力量，能影响整个人体的物理有机体，虽然针对这种力量的研究尚少。

但是，正如我们所见，继歌德和其他证明蓝色和黄色是光的三原色的科学家之后，康定斯基在他自己的色彩系统（图68）中，用黄色代替了红色。色光疗法依赖于这一事实：色彩是光的可变的振动。尽管无法观察到，但色彩可以对人体产生作用。法国心理学家加斯东·德里贝雷（Gaston Déribéré）发现，甚至失明的被测试者都能够感受到红色与蓝色的效应的区别。最近的研究正着手于将色彩与音阶中人耳能听见的音高联系起来，从而为盲人打开通向色彩世界的大门。正如我们前面了解到的这一长期存在的悖论：高能量、短波长的色彩（例如蓝色）刺激生物体的能力竟然比低能量、长波长的红色要低；同样让人吃惊的是，熟谙歌德《颜色论》、关注食物的颜色和化学性质的色光治疗师们，竟然认为蓝色是酸性色，而黄色为碱性色，而歌德提出的看法是与此完全相反的。难怪保罗·高更（Paul Gauguin，1848—1903）在1890年代认为，利用色彩的精神障碍治疗手段是色彩本身不合乎逻辑的例证之一，这个想法至少为其艺术作品（图69）中的神秘感提供了一种基本要素。他写到了色彩的"内在力量，它的神秘之处，它不可思议的地方"，所以我们"不能依照逻辑使用它，而应遵循其高深莫测"，以求能立即唤起感官的知觉，就像音乐所起的作用那样。

建立在心理学基础上的对色彩疗法的信仰几乎没有在主流心理学中幸存下来，但联想心理学则持久得多，并且进入商业生活的诸多领域之中（图4）。甚至在色光疗法运动的高峰期，也就是第一次世界大战时期左右，为英国医院弹震症病房供应涂料的涂料生产商，出于治疗目的，将涂料命名为"天空蓝""阳光黄"和"春天绿"。当然，联想是某些特定文化的功能，而作为早期现代主义明显特征的色彩的跨文化意义的理想，不再具有说服力了，虽然我们会在第五章中看到在色彩词汇的发展

图 69 《神秘》［*Be Mysterious (Soyez mysérieuses)*］，1890 年，保罗·高更。

中有一定的连贯性。冯·阿勒施（Von Allesch）在 20 世纪早期发现，他的许多研究对象对色彩的情感性反应并无一致的模式。正如他的美国同事 A. R. 钱德勒（A. R. Chandler）于 1930 年代所写的那样："人的感官并不会持续地对每一种颜色或是每一种色彩组合做出一成不变的反应。没有一种颜色是不变地、无条件地代表着愉快的或不愉快的，兴奋的或舒缓的，庄重的或艳俗的。"

但正是对色彩效应理解的不确定性和不稳定性，才使得色彩特别适合成为不稳定情绪的表达方式。一种具有情感表现力的程式化的艺术直到 20 世纪的第一个十年才在德国出现，当然，这种艺术占了梵·高以及和他同时代比他年轻一些的挪威画家爱德华·蒙克（1863—1944）的审美观的很大部分，两者都在巴黎接触到了新出现的受到心理学影响而

图 70（上）《孤独者（两个人类）》［*The Lonely Ones (Two Human Beings)*］，1899 年，爱德华·蒙克。

图 71（下）《孤独者（两个人类）》，1899 年，爱德华·蒙克。蒙克与梵·高被并称为表现主义之父，但是他的木刻版画作品给人以非常不同的着色印象，这表明他并未赋予每种颜色特定的意义。

变形的审美观。我们见证了梵·高是如何凭借准客观的互补色理论来清晰地表达他对色彩的感受。蒙克（的用色）则不那么系统化。他的诗人朋友西比约恩·奥布斯特费尔德（Sigbjorn Obstfelder）在1893年写道："他对色彩的运用超越了所有的抒情方式。他可以感受到色彩并通过色彩表达他的感情；他从不孤立地看待色彩。他看到的不仅是黄、红、蓝、紫等色彩本身，他还看到悲痛、尖叫、忧郁和衰败。"

　　蒙克在最大程度上内化了他笔下的色彩。有目击者见证了他如何闭着眼向印刷工吼叫着说出组成木刻版画的色彩顺序，而木刻版画是他主要的表达媒介。在某种程度上，这些出色的、高度原创的版画是蒙克最好的审美表达。他的许多知名作品，例如《呐喊》（其中的一个版本于2004年在奥斯陆蒙克博物馆遭窃），都直接转化成了版画的形式。但尽管如此，这些作品的色彩处理仍存在某种颇令人费解的地方。尤其是那些木刻版画，他并未像人们所想象的那样，会采用与油画原作相同的色彩组合来传达相同的情感。更值得一提的是，着色的差异使得两幅作品给人以不同的印象（图70，71），所以它们与其说是在表达"忧郁和衰败"，不如说是在参与一种欢乐的审美游戏。正如我们将经常会在本书中看到的那样：传达作品本意或本质意义的，往往是形态，而非色彩。

第三章　色彩的形状

　　英国雕塑家阿尼什·卡普尔（Anish Kapoor，生于 1954 年）在
1980 年代早期创作了一系列造型怪异的彩色作品，用以阐明他的观点：
形状与色彩有着非常密切的关系（图 72）。这些具有高度原创性的作品
异乎寻常的地方在于，虽然形状十分古怪，色彩却不具有这种复杂性，
但用强烈、浓郁的原始色料上色，这也成为了这位生于印度的艺术家作
品的标志。在这里，色彩角色和形状角色之间存在着显著的不对称性，
然而在艺术史上的许多阶段中也是如此，两者往往被视为争夺主导权的
竞争对手。

　　特定形状和特定色彩之间存在着一些内在联系，这些联系是哲学家
和艺术家心中不断出现的梦境。古希腊有一种关于色彩的学说就提出，
色彩本身是具有形状的，因为色彩是原子特定构造的结果。逍遥学派哲
学家泰奥弗拉斯托斯（Theophrastus）对前苏格拉底哲学家德谟克利特
（Democritus）把红色和浅绿色（原文为 Chloron，是一个不准确的术语，
可能只意味着"潮湿"）视为对比色的看法提出了质疑。他认为其实不
然，因为它们不具有相反的"形状"。早期现代主义也积极地参与探讨了
色彩与形状的搭配问题；三原色的概念为其提供了一定的基本理论支撑，

图72 《母亲如山》（*Mother as a Mountain*），1985 年，阿尼什·卡普尔。卡普尔不经雕琢的用色属于最容易辨识的色彩类型，但他塑造的形状却让人难以描述。

1910 年代和 1920 年代抽象艺术的发展似乎间或也以此为基础。康定斯基在慕尼黑时期就已沿着这些思路进行思考，而颇具影响力的教师阿道夫·赫尔策尔（Adolf Hoelzel）也在慕尼黑提出红圆、蓝方、黄三角的想法。康定斯基在他的宣言《论艺术的精神》中同意了赫尔策尔关于黄色的提法，但是对调了余下的两组对应，因为他认为蓝色是圆且向心的，而红色则是稳定的中间色。

在他的故乡俄罗斯，康定斯基的论述随 1914 年的译文版面世，开篇即为一幅由黄色三角形、红色正方形和蓝色圆形组成的图解（图 73）。在 1917 年革命发生后的那几年，关于色—形配合的探索，在一定程度上成了让人痴迷的议题；随后，艺术类院校也重组成立了美学研究实验室（图 74）。马列维奇（Malevich）在他的论文《试探绘画中色与形之

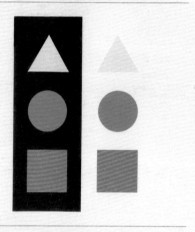

THE LIFE OF VASILII KANDINSKY IN RUSSIAN ART
A STUDY OF
ON THE SPIRITUAL IN ART

Introduced and Edited by John E. Bowlt
and Rose-Carol Washton Long.
Translation by John E. Bowlt

图 73　1980 年版《论艺术的精神》的封套，以该书 1914 年俄罗斯原版设计为基础，瓦西里·康定斯基。色—形配合概念首次得以清晰地表述。

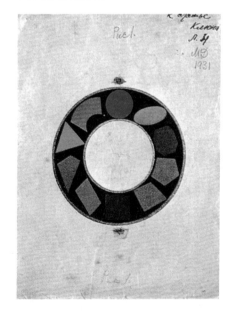

图 74　《形状与色彩》(*Forms and Colours*)，约 1931 年，伊凡·克留恩 (Ivan Kliun)。

关系的判定》(*An Attempt to Determine the Relation between Colour and Form in Painting*,约 1930 年)中,描述了他和他教师同事所作的考察:形状是如何在一些艺术家心中引起色彩联想的,反之亦然:

> 为了这一实验目标,我们给每一位艺术家都单独展示了一幅简化了的几何图画,旨在引发这位艺术家心中的色彩联想。这一针对数位艺术家进行的实验得到的色彩联想是几乎完全相同的。所以我们有一定的依据可以认为:色彩虽不是形状的附加属性,但是每一种形状都具有与之相对应的色彩特征。通过考察同一种形状引发的色彩联想间的差异,我们发现,这些联想过程中出现的分歧只表现为调子和明暗度的过渡,所以它们基本上是相似的。

马列维奇坚持认为,该研究是纯粹心理学意义上的,而且依赖于"艺术家们具有创造性的想象力"。他总结道:"在物理学中,色彩和形状可以被当作彼此独立的要素来考察,但是在艺术创作中,两者不能分开讨论,因为这两个要素帮助了感觉的产生,而且色彩和形状是同一种感觉激发的结果(原文着重强调)。"

康定斯基在 1920 年代初从俄罗斯迁到魏玛包豪斯后,安排过一个类似的调查(但受试者的样本数要大得多),得出的结论证实了他对黄色三角形、红色正方形和蓝色圆形的感受,一种得到了广泛认同的感受。不过马列维奇的实验是从形状出发的,而康定斯基是从色彩出发的。这不仅因为在慕尼黑时期对色彩的强烈反应,激发了康定斯基对这一方面进行思考,而在他的 1923 年包豪斯问卷调查中将几何形状的选项随意地限定为三个,这就预设了备选项只有减色法的三原色。三原色必须从初级形状中寻找等价物。有几种不同的色—形对应的方案,把范围拓展到了二次色层面,但归于这些色的形状却差异迥然,往往是奇形怪状的(图 75),因为并不存在得到广泛认可的"二次形状"这样的几何概念。

瑞士新构成主义加入讨论的时间稍晚,艺术家兼设计师卡尔·格斯特纳(Karl Gerstner)在 1957 年表示,理查德·保罗·洛泽(图 41)与

图 75 《色彩与形状》（*Colours and Forms*），1929—1930 年，欧根·巴茨（Eugen Batz）。后革命时期的俄罗斯艺术院校在色彩与形状的教学方面与德国包豪斯很相似，但是解决方案却完全不同，尤其是在二次色与"二次"形状方面。

其他两位同时期的瑞士艺术家马克思·比尔（Max Bill，1908—1994）和卡米耶·格雷泽尔（Camille Graeser，1892—1980）的作品都展示出了一种重要的矛盾，这种矛盾见于这些艺术家对正式结构的确定性的概念与对色彩的或多或少的随意性运用之中。为了应对这个问题，格斯特纳从康定斯基的色—形配合入手，于 1970 年代创作了一系列色形搭配的作品，作品使用电脑生成中间形状。在"我的初衷"中，他写道，"是想通过一种绝对的且清晰的方式将色彩与正式的结构联系在一起。只有在完成这一步的前提下，我才可能实现下一目标：创作内含不可否认之真理的画作"。

格斯特纳相信康定斯基将蓝色与圆形相联接是"无可争议的"——虽然事实上并不是这么一回事——但他认为，从心理学观点看，黄色的光芒使其更像是充满活力的星形，而且他还认为，应该把红色方形放置于一角，"从而表现红色的最主要特征：活力和力量的矛盾情绪"。而且，与康定斯基不同，格斯特纳接受标准的心理学观点，认为绿色是第四种原色，他还发明了一种类似于四叶草的不同寻常的形状，命名其为"正弦型"（sinuon），因为图形由穿过正方形的直角的正弦曲线的弧线所组成（图76）。格斯特纳采用了奥斯特瓦尔德的二十四色环（图77），把异常多的色阶引入蓝、绿色区域，于是他发现：三角形和正方形之间不存在中间形状，但是正方形和圆形之间的形状却有无数种（五边形、六边形、八边形等），他还引用了德国文艺复兴时期哲学家库萨的尼古拉（Nicolas of Cusa）的观点来说明，圆形是无限的多边形。但是形状的逻辑和色彩的逻辑是两个相

图76 《色形模型，变化循环》（*The Colour Form Model, Diversion Cycle*），约1979年，卡尔·格斯特纳。

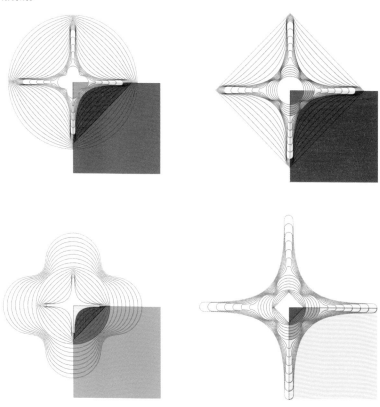

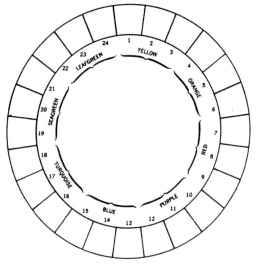

图 77　《色环》(*Colour-Circle*)，
出自《色彩指南》(*Die Farbenfibel*)，
1916 年，威廉·奥斯特瓦尔德。
图上英文顺时针为：
1—3 黄 / 4—6 橙 / 7—9 红 /
10—12 紫 / 13—15 蓝 /
16—18 绿松石色 /
19—21 海藻绿 / 22—24 叶绿色。

图 78《色形对应物，变化循环》(*Colour Form Objects, Diversion Cycle*)，
1970—1975/1982 年，卡尔·格斯特纳。格斯特纳的色形配合源自
对康定斯基版本（见图 73）的修订，但又受到奥斯特瓦尔德（图
77）色环中大比重绿色的影响，给予绿色以极大的关注。

互独立的系统，虽然格斯特纳用电脑生成了《色形对
应物》(图 78) 中的形状要素，但他无法用同样的方
法生成色彩要素。他甚至不确定红、蓝等是否为"原
色"："本可以用相一致的概念生成色彩，或者至少能
用电脑进行测算，可是迄今为止还没有出现比感觉更
精准的仪器。"

　　与格斯特纳不同的是，康定斯基的色—形等价
对应并没有获得包豪斯同事们自始至终的支持。例
如，赫尔策尔的学生雕塑家奥斯卡·施莱默（Oskar
Schlemmer，1888—1943）同意他老师的观点，认为
能够代表圆的特征的是红色而不是蓝色，因为红色在
自然界中（太阳、水果）就是一种活跃的色彩，而蓝
色则适合抽象的、形而上的正方形，因为这种形状根

图 79 《点、线、面（康定斯基）》
［*Point, Line, Plane (Kandinsky)*］，
1928 年，奥斯卡·施莱默。施
莱默对康定斯基的色形配合学说
提出了温和的批评（"圆永远是
红色的"），并以此作为给包豪
斯的缔造者沃尔特·格罗皮乌斯
的饯别礼。作品名参考了康定
斯基 1926 年于包豪斯完成的著
作《点线面》（*Point and Line to
Plane*）。

本不存在于自然界中（图 79）。康定斯基几乎是唯一一位在 1920 年代
使用"原色"材料的画家，与任何口头语言一样，这种视觉语言灵活且
模棱两可，所以这些精准的色形等价物只偶尔出现在他的作品中并不足
为奇（图 80）。

即使在拉丁欧洲，人们也提出了类似的对应，各种各样相应的创作
也可预料地出现了。法国艺术家费尔南德·莱热（Fernand Léger，1881—
1955）于 1913 年至 1914 年间创作了一系列题为《形状的对比》（*Contrast
of Forms*）（图 81）的作品。他将红色矩形与蓝色圆形构成一种趣味对比，
认为这是一种典型的、现代的不和谐状态。但是对于莱热这位真正的立
体主义继承人来说，这些形状并非源自几何学和抽象色彩学，而是来自
于他对户外场景的观察，虽然只限于城市区域。正如他在 1914 年的论文
中解释的那样，那些形状源于"建筑物之间升起的圆弧状烟雾的视觉效果"：

> 这是一个绝好的实例，研究成果被运用到了实际操作中，制造
> 了许多强烈的对比。将曲线以尽可能多样的方法聚集在一起，除此
> 之外也需将它们分离；框住它们的是房屋表面间坚硬的、枯燥的关
> 系——因为着了与中心大片色块相对比的色彩，且与"有生命"的

图 80 《红色的张力》（*Tension in Red*），1926 年，瓦西里·康定斯基。

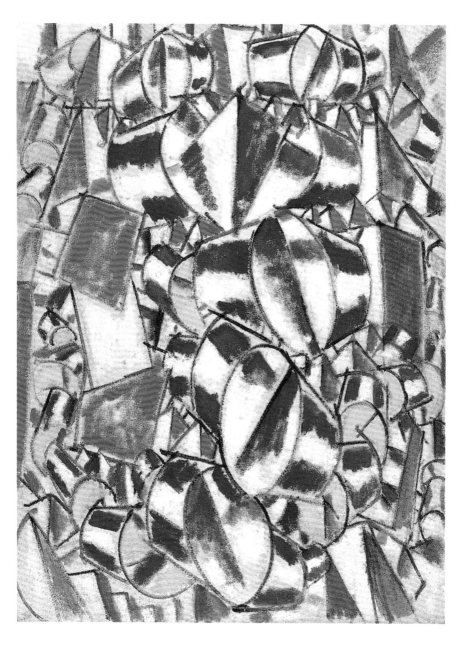

图 81 《形状的对比》［*Contrast of Forms (Contraste de formes)*］，1913 年，费尔南德·莱热。
莱热选择了三种近似三原色的色彩来表现圆形与矩形间的反差，暗示着他非常了解当代思想。

图82 《坐着的哈勒昆》（*Seated Harlequin*），1923 年，胡安·格里斯。虽然格里斯从未为了纯粹的抽象艺术而抛弃具象，但他在 1920 年代早期表达了一种与康定斯基相反的观点：圆形与有角的形状之间的对比，可比拟于最浅的色彩与最深的色彩之间的对比。

形状并置出现，这些"无生命"的房屋表面获得了机动性，所以收获了最大的效果。

在这里，红色与死亡相关联，而灰蓝色意味活着：这恰恰与更纯粹的非具象艺术家的价值观相反。

西班牙画家胡安·格里斯（（Juan Gris，1887—1927）非常贴近抽象主义关注的热点，又拥有立体主义的背景。1924 年在巴黎授课的时候，他宣布了一种他称为"画家的数学"的方法，其中圆形和三角形（图82）为初级形状的两极。在格里斯看来，圆形是最扩张的形状，因此应与调色板上最明亮的色调相对应；而三角形作为最集中的形状，适合最暗的色调——很明显，以一种简化的形式，与康定斯基提出的准则相对立。1990 年左右，少数美国平面设计师参与重演了 1923 年于包豪斯进行的实验，同样对康定斯基的标准提出了质疑，实验将红色与圆形对应，蓝色与正方形对应；而且，有两位被试者将所有三种色彩单独或混合置于三种形状中的每一种之中，仿佛要指明整个方案的难以令人置信之处。在巴尼特·纽曼（图21），或是1920年代后期任包豪斯院长的马克思主义建筑师汉斯·迈尔（Hannes Mayer）眼中，这些实践无非是无谓的学术游戏罢了！

尽管艺术家们对特定色彩与特定形状之间的内在联系存在着合理质疑，但是他们在几个世纪以来一直反复地关注这些内在联系是不容忽视的。现代科学认为，人体视觉杆状系统（处理光度信息而非波长）比锥状系统（处理波长信息，例如色相）更古老，令人惊奇的是，这似乎在普林尼讲述古希腊绘画的历史发展中已被预料到：从纯粹的线条开始，再到明暗对比处理，之后才出现色彩的运用。在中世纪，绘画是单色的，而且往往在效仿雕塑（虽然中世纪的雕塑还是像古时候那样通常是上了色的）中延续了这一传统。15世纪单色线刻的发展意味着：长久以来，单色的图像或多或少地成功满足了人类对世界样貌的好奇心，这也为19世纪摄影平面艺术拉开了序幕，从而又在很久以后得以发现引入色彩的本质的摄影手段。

"Disegno"（"素描"，意大利语）和"Colore"（"色彩"，意大利语）

正如现代主义者对协调色形作出的尝试很大程度是都是在教学的场境中得到的（胡安·格里斯于1924年在索邦大学进行了演讲），16世纪和17世纪早期的艺术院校也历经了许多争论的最重要阶段：包括形状的支持者和色彩的支持者之间的论战；佛罗伦萨画派强调素描是绘画的基础，威尼斯画家们则推崇更自由的技巧，用颜料直接在画布上即兴创作，例如提香（Titian，约1487/90—1576）等，两种画派之间也出现了争论。在17世纪的法国，这一争论为尼古拉斯·普桑（Nicolas Poussin，1594—1665）的支持者所继续。普桑高度重视设计，而佛兰芒人皮特·保

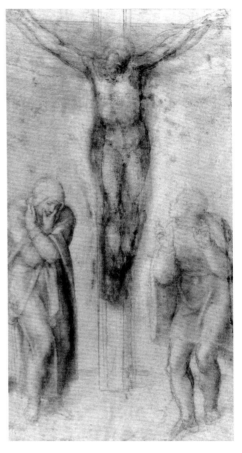

图 83（对页）《圣母升天》（*The Assumption*），
1516—1518 年，提香。

图 84（上）《"花园里的耶稣"习作》（*Study
for 'Jesus in the Garden'*），1559—1563 年，
提香。

图 85（右）《圣母马利亚和圣约翰之间十
字架上的基督（*Christ on the Cross between the
Virgin and St John*）》，约 1562 年，米开朗基
罗·博纳罗蒂（Michelangelo Buonarroti）。
这两幅高水平的绘画式素描的作者，一位
为威尼斯画派，另一位为佛罗伦萨画派，
两幅画作表明，至少在职业生涯的末期，
提香和米开朗基罗在素描的作用方面，持
有非常相似的看法。

罗·鲁本斯（Peter Paul Rubens，1577—1640）则延续了威尼斯派画家
的重点。法国的例子，发生在最早的国家艺术学院（始建于 1648 年），
确立了影响欧洲艺术教育和艺术批评界长达两个多世纪的艺术态度。现
在看来这场争论似乎无关紧要。Disegno（同时涵盖了"底稿"和"设
计"）和 colore（包括绘画着色、绘画处理和用来描绘色彩的色料及其他
媒介）的含义从未被明确地定义过。而且，正如提香等威尼斯画派的画
家，他们不仅是出色的绘图员（图 83，84），还乐意加入佛罗伦萨艺术
学院（Florentine Accademia del Disegno，创建于 1563 年）。在佛罗伦萨培

图86 《罗波安和阿比雅,西斯廷教堂穹顶半圆环带》(*Roboam-Abias, Lunette*),1508—1510年,
米开朗基罗·博纳罗蒂。虽然油画和壁画是两种非常不同的艺术载体,在绘制为远观而设计
的壁画时,提香和米开朗基罗都采用了广泛的技术手法。

训的艺术家也都是这样，例如米开朗基罗（图 85），他们不仅是色彩大师，还能以自由的、绘画的方式来处理色料，正如西斯廷教堂壁画展示的那样（图 86）。文艺复兴时期有许多绘画性素描和线条性绘画的例子，在保护过程中进行的分析研究显示，在作画的过程中有即兴发挥习惯的远不止威尼斯画派。正如后来存在于德拉克洛瓦与安格尔（Ingres）之间，以及法国的沙龙画家与印象派画家之间的分歧一样，我们其实只是在处理一些地方性竞争和艺术政治而已，而非重要的美学问题。以克里特岛圣像画家（icon painter）开始其职业生涯，随后又在威尼斯发展其绘画技术的埃尔·格列柯（El Greco，1541—1614），在 17 世纪早期提出了色彩比素描难处理得多的看法，他所考虑的并不是他成熟的风格（图 87）中的高对比度和高饱和度的色彩特征（这也是拜占庭持续影响力存在的证明），而是如何定义并重现自然中的色彩。所以在此期间，如同曾经在意大利理论中的那样，色彩经常被理解为表象的主要真相所在。

然而，在画家式风格之间，在强调地方色彩的完整性，如罗素·菲奥伦蒂诺（Rosso Fiorentino，1495—1540）（图 88），与强调色彩间的联系（借助明显的笔触、色调的调和以及特定色相的重复来联系不同色彩区域）之间，都存在实质性的差别。这些方法中的后一种一般被称为色彩主义式，这从某种意义上来说是个悖论，杰出的色彩主义者约翰·康斯特布尔（John Constable）本该渴望以此表达并呈现他所谓的"大自然的明暗对照法"（图 89）。19 世纪法国绘画的主流转移至色彩主义，确实与他有一定的关系。但是，一直以来"色彩"的概念就包括了明暗的处理，而我们也已经看到，该元素在作画的过程中（例如修拉的创作中）是多么重要。

20 世纪早期，非再现式绘画的到来从根本上改变了形状与色彩之间关系。康定斯基意识到，传统主题的去除使人们提出这样的疑问，取而代之的该是什么呢？答案中的一个，也许也是最重要的那个，就是"色彩"。色彩成为了主题；观众在绘画中寻找色彩，但与关于抽象艺术所说的相反，

图 87 　《揭开第五印（圣约翰的幻象）》［*The Opening of the Fifth Seal (The Vision of St John)*］，1608—1614 年，埃尔·格列柯。格列柯坚信，定义和再现自然中的色彩要比素描难得多，他作品中强烈、尖锐的色彩就是他的证词，这种色彩运用与其修长的人物造型一样抽象。

图 88《下十字架》（*Deposition from the Cross*），1528 年，罗素·菲奥伦蒂诺。罗素的阴郁的主题，被对比明显的地方色彩的强烈光芒所点燃。

图89 《老塞勒姆》（*Old Sarum*），1830年，大卫·卢卡斯（David Lucas）仿约翰·康斯特布尔。康斯特布尔认为大自然拥有自己的明暗对照法则，他和卢卡斯的一系列杰出的版画原作诠释了这一点。

色彩从不会抢形状的风头。不论是罗斯科（Mark Rothko）（图90）作品中柔软的形状，还是阿伯斯（Josef Albers）（图91）作品中硬朗的形状，都反映了所用色彩的固有特点。布里奇特·赖利（Bridget Riley，生于1931年）在1978年指出："不依靠一些形状的支持，没有人能够处理不稳定的且无限丰富的色彩关系。"从马蒂斯的作品中可以得出这样的结论，如果想要对色彩有所涉猎，素描功底是至关重要的。

　　但是，让色彩和形状达到和谐统一实属不易。赖利谈到了一次由用色引发的创作危机，她于1960年代后期尝试由黑白配色向全色彩转变，她为此准备了数年，但却不断地延迟了该尝试。她早期作品中或多或少的几何形状很容易被辨认。她说："但是当谈及红、黄、蓝这些色彩时，你根本就不知道你将会看到什么颜色的影调……我的黑白作品背后的逻辑无法沿用到彩色作品中去，因为这些逻辑建立在稳定和瓦解的矛盾对

图 90 《橙与黄》（*Orange and Yellow*），1956 年，马克·罗斯科。

图 91 《向正方形致敬》（*Homage to Square*），1950 年，约瑟夫·阿伯斯。罗斯科利用画幅、图层和柔和的边缘实现了色彩的相互作用；阿伯斯则通过巧妙地操控色调来达到相同的目的。

图 92 《俄耳甫斯之歌 5》（*Song of Orpheus 5*），1978 年，布里奇特·赖利。

立之上……（但是）我领会到了色彩的根基在于其不稳定性。"在另一场合，赖利回忆起她为了寻找更简单的形状用以作为色彩能量的载体所作的色彩转换，"想要无拘无束地进行这种转换，需要有一种近乎中性的载体。重复的条纹似乎能够满足这些条件"（图 92）。

条纹绘画于 1960 年代在英格兰和美国普遍流行，形状的"中性"也成为了许多色彩画家的一种渴望。赖利一直与她的老师修拉保持着紧密的关系，她希望通过同时对比的方法在画布表面生成辅助色，观者只能通过持久的注视才能观察到这种效果。尚未明确地投身于色彩，赖利就在研究中制造出了这些强有力的光学效应，她最早的支持者和评论者之一，心理学家安东·艾仁兹维格（Anton Ehrenzweig）如是描述：

> 布里奇特·赖利开展了这样的实验，她把色彩加入了她那些令人眼花缭乱的（黑白）光学绘画之中。在其中的一个研究项目中，她让橙黄色与蓝色两者必居其一的（亦即交替的）色带逐渐朝着临

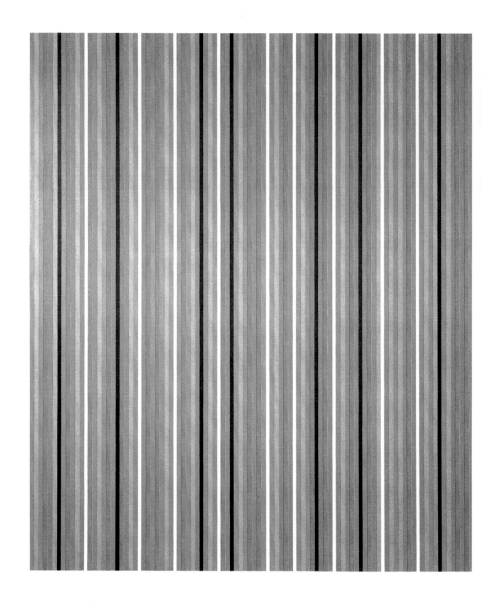

图 93 《冬宫》(*Winter Palace*)，1981 年，布里奇特·赖利。赖利在色彩方面师从修拉，
她作品中小的重复出现的"中性"的形状在光学层面高度活跃，在作品的表面创造了一层神
秘的混色膜。在该作品中，画幅和随之产生的焦点缺失扮演了至关重要的角色。

界区域收缩，在那里平面缩至线条，呈现出一种炫目的效果。布里奇特·赖利对此评论说，这似乎让人很难判断橙、蓝这两种色彩中哪一个的调子更深。在色带较宽的区域中，事实的确如此。色带由调子几乎相同的互补色组成，其间色彩激烈的相互作用避免了观者对其进行比较。但是在表面缩至令人眼花缭乱的线条的临界处，橙色比蓝色更暗的事实变得显而易见。着色表面的线性形状破坏了色彩的相互作用，取而代之的是一种"蔓延"的效应。橙色和蓝色相互扩散混合，形成了一种绿色。

形状是创造对比与相似效果的决定性要素：赖利的条纹和阿伯斯的方块与保持"中性"相去甚远。甚至是巴内特·纽曼的"拉链"式作品也能在巨幅画布上引起光学振动，就如同赖利注意到她的那些大型画布（后来是多块画布）上发生情况一样，因为在观赏时观者的眼睛保持失焦状态。垂直或水平的条纹序列会创造出强烈的节奏，至于其是否会抑制色彩能量的释放则不一定。一切都取决于观者的爱好和持续关注的能力。

赖利以创作光学上高度活跃的单色作品开启了她的职业生涯，她在色彩绘画中亦想缔造光的运动，并利用观者眼部活动在新的空间中表现新的色彩（图 93）。在 1960 年代后期，她更偏爱非原色——橙色、绿色、紫罗兰、樱桃红、蓝绿色和橄榄色，这些色彩更活跃且容易被改变或参与到别的色彩感觉之中。但是其他一些硬边派色彩画家力图达到的效果却恰恰相反。与赖利不同，1960 年代最早的硬边艺术家之一美国彩色画家埃尔斯沃斯·凯利（Ellsworth Kelly），在他的着色表面中采用了大单元的形状，目的是使其边缘具有惰性——"边缘之所以存在"，他在 1963年声称，"是因为形状可以尽可能的安定"。他认为自己在参与"一场斗争：分离图形和背景，使形状独立存在，而边缘变得恰如其分的安定"。凯利实现了这个目标，他创作了更有趣的形状，而他的作品的巨大画幅，也避免了图形和背景之间的转换，这种转换现象，格式塔心理学家在该世纪早期做过大量研究。

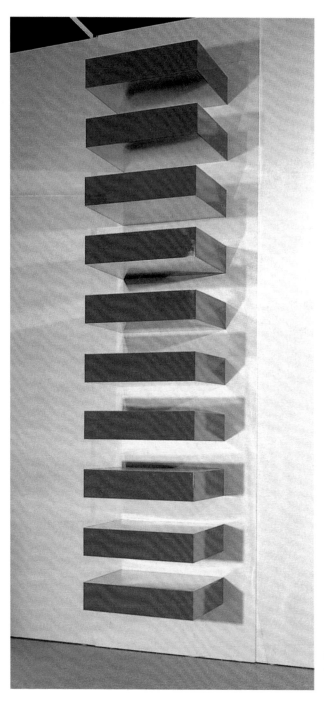

图 94 《无题》(*Untitled*),
1973 年,唐纳德·贾德。

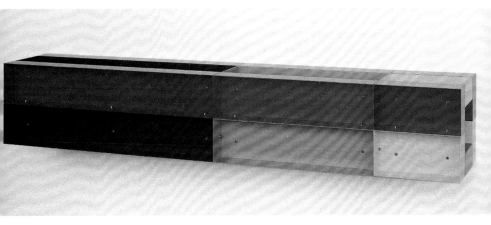

图 95《无题》（Untitled），1984 年，唐纳德·贾德。贾德把雕塑视为绘画的一种类型。他早期的作品充分利用了着色的表面、光亮的金属和透明彩色有机玻璃的内部的反射效果。后期他采用了涂了漆的金属，并将每个着色区域限制在一个三维网格之中来抑制色彩的相互作用。

亦如桑福德·武尔姆费尔德（图 50，51），赖利的作品也展示出，硬边缘的高活力和重复的形状能够创造出一层看似悬在画布表面的色彩变换的薄膜。而彼此间相互作用最小的软边缘则暗示着画面内部的一种薄膜。像马克·罗斯科这样的画家，致力于在画面中创造一种内在的光线，并开发柔和的轮廓与层层叠叠的釉彩产生的效应，后者是一种传统的技法，提香、伦勃朗、透纳也都曾采用，罗斯科尤其钦佩这些艺术家的作品。罗斯科还十分强调相近调子的并置，引导观者参与寻找边缘，进而使其超越表面，与他同时代的阿德·莱因哈特（Ad Reinhardt）（图 182）以及阿伯斯的有些作品也是如此。

着色雕塑作为艺术媒介，其对形态的强调是不可避免的，本章以着色雕塑开篇，又以色与形、反射率与透明度最高程度统一的现代雕塑作品收尾。唐纳德·贾德（Donald Judd，1928—1994）从绘画转到了雕塑，于 1960 年代开始将三维立体元素引入其中。他充分意识到了色彩对形状产生的影响，尤其是在清晰的边缘，而这正是他对雕塑样式种类做出的特殊贡献。"浅镉红"（Cadmium Red Light）是他最喜欢的颜色，对此他解释道，这种色彩有着适合三维物体的光量值。如果使用黑色或者任意深色描绘某物时，很难分辨其边缘的样子；如使用白色，它就显得小，并且太纯粹了；而红色，不同于明度值相同的灰色，似乎是唯一能真正地把一个物体清晰呈现，并明确界定其轮廓和角度的色彩（图 94）。

即使是极致的色彩主义艺术家也很注意色与形的匹配，从而让两者达到稳定的状态。赖利发现"至少在色彩方面，你集中注意力去看的并非你所见"，而贾德则倾向于重复极简主义标语："所见即所得"。他后期的多色壁雕（图 95）中，他把每一种色相都封闭地置于一个区隔之内，以最小化色彩的相互作用，所以或许令人惊讶的是，他越来越多地受到了色彩相互作用大师约瑟夫·阿伯斯的作品的影响。贾德虽然认为阿伯斯把艺术置于色彩实践的前沿，并采用实验进行教学，是值得称赞的，但在 1963 年，他还是相当冷静地评论了《色彩的相互作用》（Interaction of Color）。而后他开始收藏阿伯斯的作品，并于 1991 年，用自己的艺术基金在得克萨斯州举办了阿伯斯的个展，还在展览名录中热情地为其撰文。

在《色彩的相互作用》中，正如我们看到的，阿伯斯重申了古希腊的思想，认为由于混色和光照，我们从未看到过色彩的真正样貌。但是他放大了这一事实的"客观的"解释。后来又对色彩的主观性现象作了探究，如色彩对比的转换效应效果，以及色彩在特定的表面量中似有扩散超越其实际边界的倾向等。他和他的耶鲁大学的学生们设计了一些对比效果的特别优雅的展示（图 2），甚至在条纹绘画成为流行之前，他就已对条纹的现象学进行了探究。严格地说，我们无法分辨主观性色彩的客观性。所有的色彩都是主观的，唯一的区别在于，有些时候，在达到我们的视觉系统之前，刺激物由于光照、质地等的改变而被修改；另一些时候，以对比效果为例，色彩来自于视觉系统之内。赖利和阿伯斯在其艺术实践中特别注重于第二种情形的探索；贾德关注的则是第一种，因为正是周遭的环境为三维立体作品创造了动感和生命力。贾德做了一个重要的观察，认为在艺术家眼中色彩可类比于一种材料："色彩，如同材料，是构成艺术的东西。但它们本身并不是艺术……除了光谱之外，不存在纯粹的色彩。色彩总是出现在某个表面上，既可以是有肌理的表面，也可以是在无肌理的表面，抑或是处于一个透明的表面之下。"

　　撇开新媒体艺术［诸如由光线本身组成的全息影像（图42）］不谈，实质上贾德是正确的。他呼应了莱昂纳多·达·芬奇表达的文艺复兴的保留看法：色彩的美，"并非归功于画家，而应归功于制作出这些色彩的人"。色彩与承载它的表面，与它的材料性物质是不可分割的。至于阿尼什·卡普尔等艺术家如何使色彩材料变得有价值，如何对其进行深入地思考，则是下一章的主题。

图96 《跪垫》（*hassocks*），1986年，托尼·克拉格。作为最昂贵的天然色料的原料来源，天青石原石若是被大量使用，则成本并不算太高。

第四章　色彩与健康

　　色彩，不仅存在物理差异、化学差异，还存在地域差异。色彩的来源对于艺术家们来说一直很重要，并在很大程度上影响着色彩本身的含义。老普林尼在攻击罗马人的过分装饰的品味时，对古希腊时期最杰出的画家们使用的四种色彩的渊源进行了详细的说明：源自希腊米洛斯岛的白色，源自阿提卡的黄赭石（原文：sil，黄色，也有可能是蓝色），以及源自黑海沿海锡诺普的红色。他列举的这些俗丽的时髦色彩中，"印度河流的软泥"指的也许就是靛蓝染料，它实际上是一种植物染料，但因为都是被压缩成块状进行销售，曾被西方世界的人们认为是一种矿物。在讲述色彩地理学时，靛蓝色可以作为一个特别生动的例子，因为在中世纪时期，虽然欧洲人对东方世界的认知还很模糊，但是在诸多文献中都确认，上佳品类的靛蓝来自巴格达，即现在的伊拉克，而非印度。

　　色料和染料的声誉首先取决于它们的稳定性，然后是它们的稀缺性，并因此决定了它们的价格。有一种蓝色料至今还是最极昂贵的天然色料，它由坚硬的半宝石天青石制得，直到现在也只在阿富汗进行开采，这种颜料通常被称为群青（ultramarine，英文字面意为"海外的"——译注），它在中世纪后期的法国和意大利被赋予这个名称，因其是从"海外"远

渡重洋而来到西欧的。不仅如此，因其制取过程费力且漫长，群青的成本极高。若想要大量用于建筑物，或装饰性镶嵌，抑或雕塑时，只能采用原料的形式，即直接使用天青石。例如托尼·克拉格（Tony Cragg，生于1949年）1986年的作品《跪垫》，由一大块天青石与另一种半宝石蛇纹石组合而成（图96）。磨碎这种坚硬的石头可能需要几天的时间，而加工成色料的工序需要的时间则更长。14世纪后期的佛罗伦萨派画家琴尼诺·琴尼尼（Cennino Cennini）在撰写艺术手册中时，用最长的章节来阐述该主题，他写道："要保密，因为知道怎样正确地制取色料是非同寻常的能力。要知道，色料制取这个职业更适合美丽的姑娘们，而不是男人们。这是因为她们总待在家，可靠且手更灵巧。不过得注意提防老妇人们。"

图97 《亚麻布同业公会神龛》（*Linaiuoli Tabernacle*），1433年，菲耶索莱的弗拉·安杰利科（Fra Angelico da Fiesole）。佛罗伦萨的亚麻布同业公会规定，这种祭坛画应该用"最好的金色、蓝色和银色"绘制。但是"最好的蓝色"，即群青，只限于用在主面板底部的神龛座画中的小幅圣母像上。

在16世纪的威尼斯，群青是如此昂贵，以至于富商们似乎将其当作一种货币使用。有时赞助人会提供最珍贵的色料给艺术家，用作为一种防止欺诈的担保。这个现象也表明，赞助人对展示艺术作品魅力的渴望程度，并不比艺术家们低（图97）。这是早在古罗马时期就被记载的一种惯例，并一直延续到19世纪。

图 98 《眼中的城市生活》(*La Vie dans ville pour l'oeil*、英译:*Life in the Town for the Eye*)、1965 年，阿尔曼。在这幅作品中，经加工包装的管装颜料构成了艺术。

而在 1950 年代的纽约出现了一种奇怪的效仿行为，那时，刚成名不久的抽象表现主义艺术家弗朗茨·克莱因（Franz Kline）被他的时髦的经销商说服，换用品质更佳的材料，并要求画廊支付相应费用。

最能与群青相提并论的是另一种矿物蓝色料——蓝铜矿，这种原料翻越了阿尔卑斯山才来到意大利，因此被称为"德国蓝"。另一种德国蓝发明于 18 世纪早期，是最早的现代合成色彩之一，最初被称为"柏林蓝"，但不久之后人们就赋予了它一直沿用至今的名字——"普鲁士蓝"。在现代的色彩使用之中，以地名命名的情况已相当少见：帕特丽夏·斯洛娜（Patricia Sloane）于 1989 年出版的书籍记录了某个种类蓝色的 125 种英文和法文的商品名，其中只有 4 种是地名。阿尔曼（Arman，生于 1928 年）的 1960 年代的系列作品，以绘画的纯物质特征来表现（图 98）。与阿尼什·卡普尔使用的颜料粉，或是阿尔曼的朋友伊夫·克莱因（Yves Klein）使用的定制颜料（图 103）不同的是，阿尔曼从他的颜料管中挤出的显然只是市售的普通颜料而已。

艺术家们尤为重视的不仅是最佳的色彩原料的来源地，还有它们的制造地点。威尼斯自 15 世纪后期开始，就拥有专业的颜料供应商，可能在 16 世纪或许还拥有欧洲最发达的颜料贸易。安特卫普也拥有专业的颜料经销商，并制造出了一种著名的蓝，这种蓝至今依旧称为"安特卫普蓝"。

威尼斯还以生产多种颜料而闻名，尤其是一种优质铅白，这种颜料在英格兰被称为"威尼斯碳酸铅白"。尽管佛罗伦萨的一座修道院也制作优质的蓝色颜料，但威尼斯的颜料是如此优质及著名，以至于托斯卡纳的艺术家们会为了这些材料前往威尼斯，或由赞助人送上门。之所以这种铅白格外重要，是因为它作为一种用于大画幅的快干的高浓度油画颜料，在笔触鲜明的厚涂颜料法的绘画风格发展过程中具有很重要的作用，而这种绘画风格属于 16 世纪最具影响力的威尼斯绘画技术革新。

因此，有关 16 世纪威尼斯画家工作情形的最早的详尽记录（虽然

图 99 《基督下葬》（*The Entombment of Christ*）1559 年，提香。提香在其后期作品中，密集且大面积地采用了厚涂法，这种方法在之后的几个世纪变得极富影响力。其关键的成分之一，就是铅白。

来自 17 世纪中叶），着重阐述色彩处理方面（图 99），这并不让人感到意外。帕尔马·焦瓦内（Palma Giovane）在该记录中描述的正是提香最后的创作实践。他为提香的杰作《圣殇》（*Pietà*）做了收尾，该作品现藏于威尼斯美术学院。在恩师提香去世后不久，帕尔马报告说，老画家开始作画时会"先用蘸满颜料的画笔留下大胆的笔触，有时会用纯土质色料来营造中间调子，另一些时候则会使用铅白；他会用带红、黑或黄的相同笔触来描绘高光效果"。帕尔马说，画家会把这些完成了前期工作的画作面对墙支撑起来，将其搁置数月之后，再回来将它们带入最终阶段。他常常用他的手指进行绘画，如同莱昂纳多在他之前所做的那样。

图100《佩雷·唐吉肖像》(*Portrait of Père Tanguy*)，1887—1888年，文森特·梵·高。如果用于绘制这幅富有同情心的颜料商肖像的颜料是由画中人提供的话，那将会是非常地令人愉悦的，但事实上贫困的梵·高还是需要从廉价供应商处购得颜料。

色料的制造

颜料制造商和颜料批发商这个发轫于 16 世纪威尼斯的同业，对于 19 世纪绘画来说，变成了一个更为重要的因素。举例来说，那时，波斯销售商哈罗（Haro）为德拉克洛瓦配制了液体稠度非同寻常的颜料；佩雷·唐吉不仅是印象派画家们以及梵·高的主要供应商，他还坐着为后者当了模特（图 100）。一大批杰出的英国艺术家，包括透纳（Turner），都认可了 1840 年代至 1850 年代间由颜料制造商托马斯·米勒（图 101）制作的神秘的"凡·艾克玻璃介质"（Van Eyck Glass Medium）；不

图 101 托马斯·米勒（Thomas Miller）的用于油画的"凡·艾克玻璃介质"产品广告，引自《艺术联盟》，1841年。该种新颖的介质（撇开其品牌不谈！）看似以硼砂为底料，但米勒称它既能够用于油画，也能够用于水彩画。图中的客户评价表明，许多知名的英国艺术家都曾尝试使用该产品。

图 102《伴娘》（ *The Bridesmaid* ），1851 年，约翰·埃弗里特·米莱斯（John Everett Millais）。拉斐尔前派这前所未有的明亮的调色板，很大程度上要归功于英国颜料商乔治·菲尔德针对色料纯度和稳定性的研究。

久，另一些人则为颜料商和色彩理论学家乔治·菲尔德（George Field，1777—1854）的过世而哀悼，他的绝妙且高质量的色料使拉斐尔前派那空前明亮的调色板成为可能（图102）。许多使用手册会提及特定的艺术家们所使用产品的制造商的名称，这原本很常见，到该世纪末，这些手册常常是由制造商们自行出版。一本经久不衰的手册是由法国风俗画家 J.-G. 维贝尔（J. -G. Vibert）写作的《绘画的科学》（*The Science of Painting*，1891年），作者与巴黎的勒弗朗公司（Lefranc & Cie）有着密切的联系。我们还知道艺术家们所使用的一些特定绘画材料品牌：印象派画家和修拉使用的爱德华（Edouard）牌，塞尚使用的申内利尔（Sennelier）牌，马蒂斯使用的布鲁克斯（Blockx）牌；还有是在1950年代和1960年代，纽约的画家们经常光顾具有创新精神的颜料制造商伦纳德·博库尔（Leonard Bocour）处。1960年，博库尔为华盛顿的色域画家莫里斯·路易斯（Morris Louis，1912—1962）（图105）和肯尼斯·诺兰（Kenneth Noland）提供了经专门稀释的丙烯颜料"麦格纳"（Magna），这两位画家发现，即使经过稀释，这种颜料还是能保留它的饱和度。

纽约也许是西方艺术世界里最后一个重要的新材料中心。尽管法国艺术家伊夫·克莱因（1928—1962）早已为了他的小幅单色画和雕塑委托定制了一种蓝色颜料，即 IKB（International Klein Blue，国际克莱因蓝），

图103 《单色蓝》（*Monochrome Bleu*），1960年，伊夫·克莱因。克莱因在那时以尽可能原始的方式，使用了他的定制合成颜料："国际克莱因蓝"（International Klein Blue）。

图104《黄色的基督》(*The Yellow Christ*)，1889年，保罗·高更。高更与他的朋友梵·高一样都热爱黄色，但是他使用的品种比梵·高的更为可靠。

但这种颜料保持了很浓厚的个人色彩（图103）。欧洲和美洲的艺术家们选择购买新的合成颜料的地方正是纽约，出于工业目的，这些颜料自1930年代起开始在美国被研发。当然，合成颜料本身并不是新发明。关于合成颜色的最早的记载也是一种蓝色——"埃及蓝"，公元前2000年就已被使用，而且，根据古希腊原始资料，发明它的原来是一位（不知名的）国王。洞穴绘画中的那些由加热黄赭石制成的红色有着更悠久的历史；在中世纪，朱红由硫磺和汞合成；而在18世纪和19世纪，现代化学的研究方案首先制造出了蓝色，然后是一系列的绿色、紫色和黄色。这些颜料中有许多被证明是非常不稳定的，在19世纪下半叶，有关色彩的耐久性存在很多争论，而若干艺术院校都推出了化学讲座，更有甚

图 105 《黄金年代》（*Golden Age*），1958 年，莫里斯·路易斯。路易斯的"面纱"可能是用专门稀释过的丙烯颜料"麦格纳"绘制的，这种颜料由纽约的颜料商伦纳德·博库尔研发。博库尔还习惯将"要过期的"颜料赠送给贫穷的艺术家们，这也许是路易斯作画的洗涤水格外稀薄、混合物格外微妙的另一个原因。

图 106 《红色的瑞吉峰》（*The Red Rigi*），1842 年，J. M. W. 透纳。透纳是最早将水彩从"素描"领域带入绘画领域的艺术家之一，他让水彩画成为了一种主要的艺术表现形式。

图 107 《戴草帽的农夫》（*Peasant in a Straw Hat*）约 1906 年，保罗·塞尚。像透纳一样，塞尚越来越多地使用水彩作画，这种媒介，不仅赋予他的作品很高的透明度，还给予了他不同程度的创作自由。

者开设了实验室来测试新产品，例如巴黎美术学院。

　　风格与技术方面的革新并不总是齐头并进的。印象派画家普遍抗拒由现代化大批量生产、机器碾磨制成的颜料。梵·高有时会自己研磨颜料，尽管这么做或许更主要是出于经济原因，而且他的巴黎颜料供应商唐吉也是手工碾磨颜料的。修拉和新印象派画家更具有冒险精神，但是至少修拉的作品已经因现代锌黄的变暗而遭受到了损失。高更采用了现代的镉黄，而不是老的且不可靠的铬黄（图 104），他曾资助了勒弗朗公司。1888 年，他的朋友梵·高请求弟弟提奥（Theo）为其在巴黎采购一些颜料，这些颜料是因为新印象派画家而"变得流行"的；其主要特点是明亮但极不稳定，而梵·高对此有所知晓。"时间，"他说道，"会使它们的调子变得非常暗。"

　　博库尔的水溶性"麦格纳"颜料的稀薄度对莫里斯·路易斯的面纱技巧来说非常关键（图 105）；而透明度高的水基涂料的复兴已经成为了早期现代主义画家，例如康定斯基和克利，在色彩实践方面的一个主要因素。当然，水彩已使用于许多世纪许多文化中，但是在 19 世纪的欧洲，水彩已从技法宝库的边缘移到了中心位置，这在透纳（图 106）和塞尚（Paul Cézanne）（图 107）的作品中体现得尤其明显。水彩对早期抽象艺术而言是至关重要的。1912 年左右，康定斯基开始了他新的非具象化

图 108（上） 《构图》（*Composition*），1911—1912 年，瓦西里·康定斯基。轻盈的水彩颜料使康定斯基在他的早期非具象作品中能够专注于色彩。

图 109（下）《里格塞乡村教堂》（*Riegsee-Dorfkirche*，英译名 *Riegsee Village Church*），1908 年，瓦西里·康定斯基。康定斯基从自然出发，常常使用颜料的实质去呼应事物的实质。

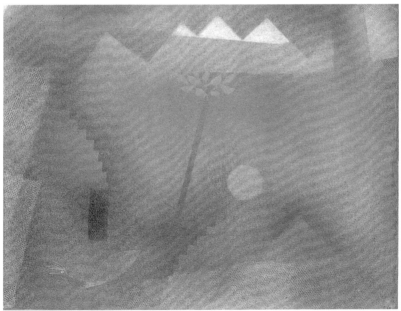

图 110（上）米歇尔·洛布兰谢（Michel Lorblanchet）正在多尔多涅省（Dordogne）的佩尔什·马尔莱（Perche Marle）洞内，用喷涂法重新创作斑点马画面。

图 111（下）《迁徙的鸟（编号 4176）》（*Emigrating Bird, No. 4176*），1926 年，保罗·克利。

风格，这个时期他大量地使用了水彩颜料（图108），这与他先前的穆尔瑙风景画（图109）中所使用厚涂法油画风格，形成了鲜明的对比。然而，在1914年的俄罗斯版的《论艺术的精神》中，康定斯基担心地表示，他通常提及的是颜料而不是色彩："撇开颜料中抽象的色彩不谈，颜料这个概念还包括材料的稠度，这正是艺术家们创作时所利用的东西。"

　　对于康定斯基后期的包豪斯同事约瑟夫·阿伯斯来说，他的材料的不同稠度为他带来了一种特别的挑战，他在生命快要结束的时说道："每一种颜料，都有其有不同的特性，不论它是色彩，还是作为奶油般的糊状物。每一种都有不同的密度。尽管如此，我还是希望它们能够守规矩；只做我让它们做的，而不是做它们自己要做的。"阿伯斯购买颜料时，不只是简单地从同一个制造商处购买，而是尽量重复去购买来自同一批次的颜料。

图112　《红色方块［859］》（*Rotes Quadrat*［895］），1928年，瓦西里·康定斯基。

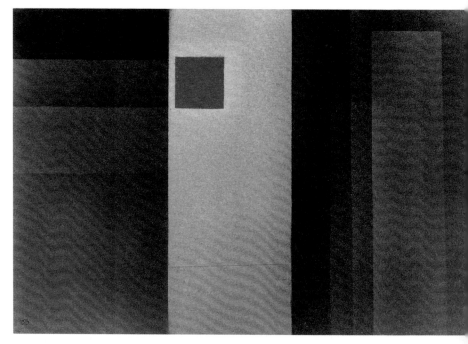

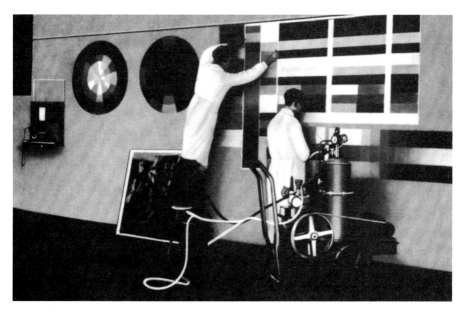

图 113　墙绘工作室。各种喷枪技术试验。约 1927 年，德绍市包豪斯。简单的喷漆法，早为旧石器时代的洞穴画家所使用，在 1920 年代的魏玛和德绍包豪斯，这种技法又流行了起来。克利在还是个年轻艺术家的时候就有了相关经验，在 1924 年左右，他又以极大的热情重拾这种技法，康定斯基和其他的包豪斯艺术家紧随其后。在更注重技术的德绍包豪斯，压缩机驱动的喷枪被用于大面积墙面的喷绘。

　　康定斯基也积极参与了 1920 年代的另一场色彩革新，这场革新发生在魏玛的包豪斯，不过是喷漆技艺昙花一现的热潮而已（尽管克利早在 1907 年就做了喷漆的实验，但是，显然这种技艺与旧石器时代艺术一样古老）（图 110）。大约从 1923 年开始，保罗·克利（Paul Klee，1879—1940）、康定斯基，以及其他一些人运用该技巧，使用模板和水基漆料创作了许多作品（图 111，112）。康定斯基在 1924 年 1 月的一封信中提到，油漆的运用"（在所有的喷射过程）或多或少是机械性的"。像克利一样，康定斯基总是乐于接受新媒介和实验技术，但有趣之处在于，尽管在魏玛使用机器是不太可能的，加之这些喷漆作品画幅都很小，他还是把重点放在了机械性上。但在 1925 年后，得益于汽车工业发展的功率强大的压缩机，德绍包豪斯在墙绘工作室使用喷枪测试不同表面（图 113）。喷漆技术不仅能够营造出一种客观的表面效果，还兼备了塑造微妙的层次感和精妙的细微差别的能力，而德绍墙绘工作室的负责人欣纳克·舍佩尔（Hinnerk Scheper），因其作品拥有上述特点而备受人们钦佩。

新绘画媒介

但在这个时期，人们的关注重点已经从新的色彩和色彩技术转移到了新的媒介上，这在很大程度上与当时全新的审美评估是一致的，尤其在梵·高和莫奈后期作品的影响下，表面的纹理被认作是一种表达方式。俄罗斯理论家尼古拉·塔拉布金（Nikolai Tarabukin）这样描写道："我们看到，现代画家在色彩上的显著特点是对使用的材料抱有特殊的敬畏，正因为如此，在使用色彩作画时他会把自己对材料的这种感受通过色彩表达出来，而这与那些出于对色彩的感受而创造的效果是非常相似的。"塔拉布金进一步论述道，"对同一种物品的描绘，会因使用油画、水彩画或胶画等的不同颜料，而带给我们不同的感受。"

早期现代主义尤为惹人注目之处在于其对媒介进行的广泛实验。毕加索（Picasso）也许是最早使用建筑用漆的美术家，他在1912年左右使用了"里波林"（Ripolin，法国油漆品牌——译注），并因这种油漆的直接性和耐久性将其称为"色彩的健康"。"里波林"成为了现代主义绘画的标准材料之一，至少有一位画家是这么做的，英国艺术家吉莉安·艾尔斯（Gillian Ayres）在1950年代采用这种油漆正是因为毕加索神圣化了该材料。在那时，"里波林"已变成了一种"美术"媒介，因为用于现代标准的墙壁大小的画布，使用建筑油漆和工业用瓷釉相对便宜，但也正因为它们与美术传统没有关联，所以许多1940年代、1950年代和1960年代的英国和美国画家转而使用它们。

在1940年代的纽约，普通家用油漆的使用的确有一部分是出于经济原因。第二次世界大战及在战争刚刚结束的时间里，先锋派艺术市场陷入低谷，因为画作滞销，艺术家们负担不起传统材料的花费。但这种不得已很快成为了一种美德，新材料的非常规性成为了作品最吸引人的部分。早在 1930 年代，旅居纽约的墨西哥壁画家大卫·西凯罗斯（David Siqueiros）就使用了工业油漆并声称"新材料的解决方案应该符合新社会的要求"。所以，战争一结束，艺术材料制造商们自己就开始使用新的合成树脂了。博库尔的"麦格纳"就是他与萨姆·戈尔登（Sam Golden）一起在 1940 年代后期研发的。博库尔在推广该材料时，将其称为"500 年来第一种新型绘画介质"。

正如意大利文艺复兴时期的艺术家们都奔向威尼斯那样，1950 年代和 1960 年代的欧洲艺术家们纷纷前往纽约，这不仅是因为一句出名的短语概括的那样，纽约"偷走了现代艺术的理念"，还因为这座城市提供了现代艺术创作所需的最好的材料。例如，在美国尝试使用过新媒介的英国抽象画家约翰·霍伊兰（John Hoyland，生于 1934 年），在 1963 年首次使用了英格兰最早的丙烯颜料（图 114），从此抛弃了他称之为"酒色之徒（sic）的颜料和当时普遍认为是相当过时的画面"，因为他认为"在历史上，艺术总是随着技术的改变而变化，比如从石膏到油画……而这变化过程又带有藏在新哲理背后的新技术之微音"。

因而，色彩材料成为了战后绘画意象的一部分。早慧的英国艺术家理查德·汉密尔顿（Richard Hamilton，生于 1922 年）使用硝化纤维喷绘了他 1958 年的作品《她的一切是一种奢华的场面》（*Hers Is a Lush Situation*）（图 115），正是因为"我想表现一辆车，所以我认为使用汽车涂料是恰当的"；在 1958—1961 年的作品《她》（*She*）中，汉密尔顿用了金属漆来表现一个烤面包机。在 1950 年代的纽约，杰克逊·波洛克（Jackson Pollock，1912—1956）也大量地使用了金属漆，而在 1960 年左右，弗兰克·斯特拉（Frank Stella，生于 1936 年）也采用了金属漆，来扩展抽象作品的画面效果（图 116）。这或许是自中世纪以来，金属材料首次被大规模地用于平面绘画。汉密尔顿用一种类似中世纪的方式论证出，新颜料和新技法的作用是象征性的，而不是具象的："我试图以一种与原

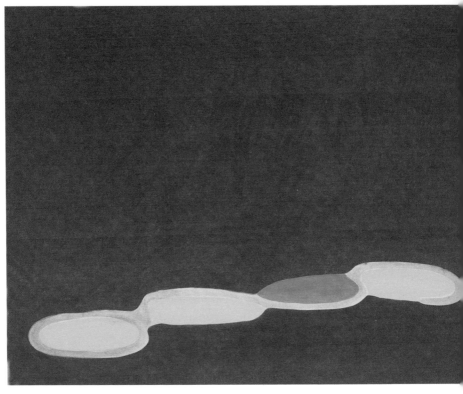

图114 《17.5.64》，1964年，约翰·霍伊兰。霍伊兰是最早使用美国研发的丙烯颜料的英国画家之一。

材料有关联的方式呈现图像……我可以使用纤维素来喷绘，因为它象征着对象。"

然而，特定着色材料被赋予思想意识的情形，并不是第一次出现。英国的浪漫主义颜料制造商乔治·菲尔德一直渴望研发出纯的三原色色料，因为他认为它们的化学基础是大自然三元结构的证据——二氧化硅对应群青，氢氧化铝对应茜草红（这种植物红染料在氢氧化铝中沉淀形成一种深红色色料），石灰对应柠檬黄；而这些反过来又是圣三位一体的化身。菲尔德在他漫长的职业生涯中，与很多艺术家关系密切，他卓越的产品（图102）给艺术家们留下了深刻的印象，但他的理念似乎并没能做到这一点，尽管他的一些理论曾在艺术教育领域短暂流行，尤其是

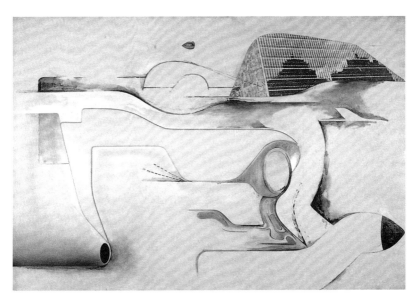

图 115 《她的一切是一种奢华的场面》（*Hers Is a Lush Situation*），1958 年，理查德·汉密尔顿。汉密尔顿认为用汽车面漆来表现这种驾车的主题是很合适的。

在美国和日本。

菲尔德赋予色彩理念以一种宗教变音，这在浪漫主义的背景下中并不令人感到惊讶，这也见证了 19 世纪艺术特点的萌芽——希望重振前文艺复兴时期的艺术风格。他对泥金装饰手抄本表现出了浓厚的兴趣，并与伦敦的一位收藏早期德国和意大利绘画的大收藏家关系密切，而这位收藏家的藏品对画家威廉·布莱克（William Blake，1757—

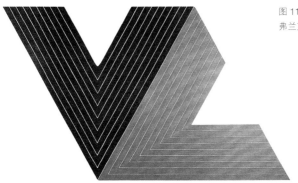

图 116 《Ifafa II》，1964 年，弗兰克·斯特拉。

1827）也很重要。布莱克是琴尼尼的读者，并认为自己对意大利壁画技法（图117）有所了解。依据中世纪思想，传统的矿物色料一直与宝石矿石存在关联，因而它们拥有道德方面和治疗方面的力量。例如，13世纪的宝石专家坎蒂姆普雷的托马斯（Thomas of Cantimpré）认为，印度蓝宝石与天青石有联系（事实上后者并不是半透明的），并为它列了一长串的功效清单，包括减轻眼部和前额的疼痛，以及治疗舌头上的溃疡。而且它还能激励贞洁,防范欺诈、妒忌和恐惧。在拜占庭传统中，这种"蓝

图117《一只跳蚤的幽灵》（*The Ghost of a Flea*），约1819年，威廉·布莱克。布莱克制作了自己的颜料，他是以一种很典型的方式在灵视中得知这种胶—蛋彩画技巧的。他认为，该技法同早期意大利壁画（包括铭文）采用的技法相同，而琴尼尼的《艺匠手册》（*Book of Art*）于1812年首次在意大利出版时，布莱克就已经是一名忠实的读者了。

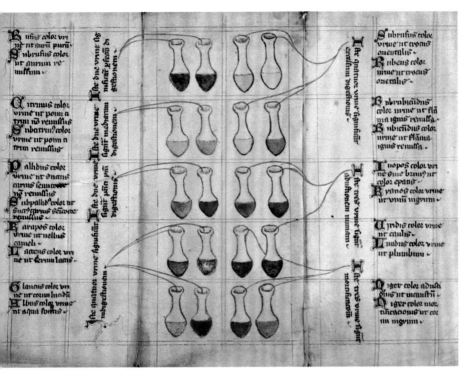

图 118 《尿液的颜色》（*The Colours of Urine*），出自《医师日历》（*The Physician's Calendar*），15世纪，伦敦。色彩在医疗诊断中是至关重要的，画家们眼里最有价值的颜料往往还被当作药品，在许多情况下疗效是以交感巫术的方式实现的，即将色彩，或是渴望的色彩，与患病器官相匹配。

宝石"被当作泻药使用。同样，半宝石赤铁矿能够以交感巫术的方式治疗血液病和月经紊乱；而将其磨成粉末后与酒混合，则能用于治疗溃疡、抵御毒虫叮咬。这种从阿拉伯半岛或埃及进口到欧洲的矿石常常用于制造红色色料。类似的例子还有很多。在艺术家们的手册中，医疗配方有时会穿插于色料配方之间，在专业的颜料商人出现之前，绘画原材料都需要从药剂师处购得。在中世纪的佛罗伦萨，药剂师会邀请画家们加入他们的同业公会（图 118）。

在澳大利亚土著绘画的语境中，颜料、地理和宗教价值观是紧密交织在一起的，自 1970 年代起，原住民绘画经历了引人注目的转变，现今，它们在世界各地展出，并被广泛收藏。正如大英图书馆（1784 年，斯隆）

图 119 《卡尔库》（*Karrku*），1996 年，瓦鲁古朗谷（Warlukurlangu）的艺术家们。这幅巨大的帆布绘画由三十六位来自澳大利亚中部云都姆周边乡村的艺术家所完成。画面描绘的是著名神圣赭石矿附近的祭祀地点坎贝尔山脉的卡尔库。那里的人们认为，天然赭石是由"祖先们"在神秘的"梦幻时代"创造的。

收藏的 14 世纪法国宝石专家的著作指出的那样，埃塞俄比亚的巴拉斯红宝石（Jagonice grena）具有抵抗中毒的能力，而它的红色是从上帝用来创造亚当的土壤中派生而来，抑或据另一权威说法，则是派生于第二个亚当——基督的血液。同样的，（澳洲）传统土著的岩石绘画和树皮绘画中使用的白、红、赭黄，皆来自祖先创造的矿山，如梦幻时代的神话中描述的那样。红色的是祖先的血液，黄色是他们的脂肪，而白色的则是他们的粪便。土著艺术主要与土地、国家和他们的起源有关；而在那片土地上发现的那些色彩的"身份"是最重要的。值得注意的是，澳大利亚东北部最近的树皮绘画出现了种类繁多的形式上的新发明，它们是由珍视个性的艺术家们所创作的，但是这个区域的传统的四种天然颜料调色板——黑（通常来自木炭，偶尔源自矿物）、白、红和赭黄——则是普遍保持使用的。

　　因此，显得有些自相矛盾的是，这些最有价值的赭石本应该被广泛交易。例如"卡尔库"红色赭石，它产于中部沙漠（Central Desert）的云都姆（Yuendumu）西边的坎贝尔山脉中的一个神圣的赭石矿山（图

119），其开采是季节性的，且会伴随盛大的仪式，有些部落为了来到这里需长途跋涉数百千米。来自中部沙漠的最有名的画家们，如后期的克利福德·泡泽姆·提加帕加利（Clifford Possum Tjapaltjarri，约1932—2002）（图129），这样解释道：关于像卡尔库等的特定赭石的使用，或多或少地为那些拥有矿山传统权利的人所严格控制。举例来说，克利福德·泡泽姆·提加帕加利作为提加帕加利氏族的一员，不能使用"卡尔库"，只有提吉普如拉（Tjipurula）氏族、提加卡玛拉（Tjakamarra）氏族、提加安贾拉（Tjangala）氏族和提加姆吉因帕（Tjamijinpa）氏族才能使用，这四个氏族共享举行雨梦幻（Rain Dreaming）的场所，而那里正是

图120 《乌阿奇的长矛》（*Spears at Ualki*），1994年，米吉莉·纳普如拉（Mitjili Napurrula）。纳普如拉是一位来自澳大利亚中部沙漠哈斯特悬崖的女艺术家，她（在这幅作品中）用一种使人联想到沙画的风格表现了她父亲的长矛梦幻（Spear Dreaming），但使用的是新绘画运动的一组明亮的颜色。

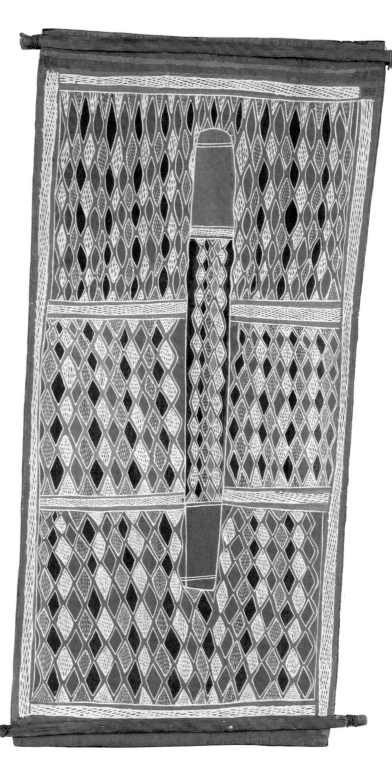

"卡尔库"所在地。来自同一区域的提加帕加利族人和提疆古拉伊族人（Tjungurayis）使用的红赭石产自另一座称为"亚尔库提"（Yalkuti）的矿山。虽然在云都姆绘画中有许多深红色，泡泽姆还是把"卡尔库"描述为特征粉红色。泡泽姆自己，和合作创作《卡尔库》（*Karrku*）的众多艺术家一样，都使用了现代的丙烯颜料。

这种赭石经济表明，土著色彩的内涵中包含了令人意想不到的松散性；即使在前殖民时期，也有一些证据证明，在澳大利亚西部，蓝色等许多异域色彩都曾得到使用。欧洲移民带来了洗涤蓝、飞机电池中的炭黑等新产品，在那时得以使用这些物品使土著画家们感到很高兴，即便在更保守的北部也是如此。正是 1960 年代后期和 1970 年代现代合成颜料的引进，促成了澳大利亚中部和西部绘画运动的惊人崛起，这使得土著艺术广泛地受到认可并被收藏（图 120，121）。与此同时，新的合成材料常常用于模拟传统的四色色组，这种用色料来代表其他色彩的做法是罕见的，但这并不是为了欺骗而简单地模仿其珍贵的材料；在早期的欧洲，这种行为则是很常见的。除了其纯粹的着色能力外，或许没有什么能比色料的起源和物理特性更能证明其重要意义了。

图 121《火梦幻》（*Fire Dreaming*），1976 年，瓦库提·马拉威利（Wakuthi Marawili）。马拉威利的四色树皮组色属于典型的澳大利亚东北部阿纳姆地（Arnhem Land）绘画。该作品描绘的是一根正在燃烧的原木，这对于作者所属的马答尔帕人来说是神圣的；背景部分是氏族特有的图案，用于举行仪式时的人体彩绘。

图 122 《虚假的起点》（*False Start*），1959 年，贾斯珀·琼斯。琼斯的该系列作品将色彩的名称描在了不相对应的色彩上，旨在表现口头语言如何推翻色彩概念，这与心理学上的斯特鲁普测试有所关联。（参见 146 页）

第五章　色彩的语言

　　纽约的画家兼教师帕特丽夏·斯隆 (Patricia Sloane) 在 1989 年的一项引人注目的研究中表示，依照现代主义精神的观点，除了经过几世纪的使用而约定俗成的色彩名称之外，其他色彩的名字不仅多余，还会干扰视觉体验。斯隆在三百多页的《色彩的视觉本质》(*The Visual Nature of Color*) 一书中认为，口头的色彩语言当然抛出了诸多问题，而她在众多话题中，对制造商使用的高度不统一的绘画色料术语作了详尽的评论。正如美国国家标准局鉴定的那样，一种中性蓝拥有 125 种英语和法语的商品名称，这些名称包括德累斯顿蓝、安特卫普蓝、北京蓝以及里昂蓝。其他代表同种蓝色的名称则参考了艺术家卢卡·德拉·罗比亚（Luca della Robbia）、拉斐尔（Raphael）和穆里洛（Murillo）的名字。

　　斯隆还强烈批评了美国色彩理论家阿尔伯特·孟塞尔（Albert Munsell 1858—1918）（图 123）和德国色彩理论家威廉·奥斯特瓦尔德（1853—1932）（图 77）的现代色彩系统，这些系统多用于艺术和设计的教学上，事实上主要是利用其字母和数字标记。这使它们在色彩空间所涵盖的细节范围，远远超过了普通语言所能辨认的，而在工业社会中，语言则倾向限定于仅有的十来个一般术语。我们在第一章中看到，艺术

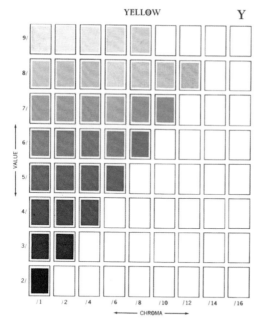

图 123　图示为孟塞尔颜色立体（Munsell Colour Solid）中的黄色（恒定色相）表，首次发表于《色彩的注释》（Color Notation），1905 年，阿尔伯特·H·孟塞尔（Albert H. Munsell）。现代色彩系统在很大程度上已抛弃了色彩的名称。

图上英文为：

标题：黄

纵轴：明度（值）

横轴：彩度

家们如何按照"原色"和"混合色"的概念，将这些所谓的"基本"术语进行进一步的缩减。并不是所有画家都持有对色彩的口头术语的不信任感——梵·高的信件就见证这点——但在 19 世纪后期，艺术家们调色板中的色域因合成颜料而得到了扩大，外来的商业颜料的名称开始激增［这也致使艺术家们对其进行讽刺：例如，"兴奋仙女的大腿"（cuisse de nymphe émuei, 英译 thigh of excited nymph）和"皇太子的便便"（caca-Dauphin, 英译 dauphin's poo）］，有人试图建立一种色彩语言。早在 1850 年，乔治·菲尔德（George Field）就为一本小小的学生手册题过"着色的语法"的副标题，而在法国，他作为印象派艺术家费利克斯·布拉克蒙（Felix Bracquemond）的版画家友人，与其他一些艺术家一样期待看到色彩的语法。在色相环和灰色标的基础上，色彩系统在 19 世纪得到了发展，这使得色彩语法的出现似乎近在咫尺。二三十年后，象征主义带来的影响把侧重点从色彩的"语法"结构方面转移到了色彩更具主观性和联想性的元素上，这与语音学有所关联：在亚瑟·兰波（Arthur Rimbaud）的诗

《元音》（*Voyelles*，英译 *Vowels*）中，每个元音都对应着一种色彩，这引发了科学界和美学界对通感（见第七章）的一波调查研究。象征主义与 19 世纪后期的心理学联系了起来，而康定斯基对此非常感兴趣，并提议将"色彩的语言"（Farbensprache，英译 The Language of Colours）拟为"论艺术的精神"的副标题，尽管这本书出版的版本中仅有一章题为"形状与色彩的语言"（"The Language of Forms and Colours"）的相关内容。这为康定斯基的色形联想——黄色对应三角形，红色对应正方形，蓝色对应圆形——奠定了基础，不过令人吃惊的是，直到 1910 年，也正是该封面设计（图 124）遭到拒绝的时候，这些色形对应还未清晰地确定——图中的三角形基本是蓝色的，而黄色则更类似矩形。康定斯基在包豪斯时期随心所欲地使用了几何形态三重奏（图 80），表明了它们远非词典中的定义，而可类比于口头语言的丰富性和象征主义的模糊性，或者说表

图 124　被否定的《论艺术的精神》的封面设计，1910 年，瓦西里·康定斯基。康定斯基原本认为，这本书是一份关于"色彩语言"的宣言。

现主义的诗意，而康定斯基本人就是这些方面的著名的倡导者。

康定斯基以人种志学者的身份开始了他的职业生涯，而从他早期的另一个主要出版物《蓝骑士年鉴》（*The Blue Rider Almanac*）中可以看出，他极力促进一种通用的艺术语言。《蓝骑士年鉴》由康定斯基和慕尼黑表现主义艺术家弗朗茨·马尔克（Franz Marc）在 1912 年共同编辑，其中包括了康定斯基创作的舞台作品之一《黄色声音》（*The Yellow Sound*）中的场景。该书收录了来自非洲、亚洲、波利尼西亚和美洲的插画，民间艺术和儿童画，德国的中世纪艺术和具有浪漫色彩的中世纪幻想插画。此外，该书还列举并探讨了最新的法国和德国艺术。除 19 世纪和 20 世纪初的大型国际展览外，范围如此广泛的艺术作品和工艺品可能是第一次得到集中展示；而且与其他展示方式表现的欧洲中心主义不同，这本书体现的是艺术界的世界大同。而在这个时期，普遍主义在语言学中也是一个重要的主题：人工语言沃拉普克语（Volapuek）和世界语（Esperanto）在 1880 年代相继推出，而 20 世纪的第一个十年内出现的国际语（Interlingua）和伊多语（Ido）（为色彩理论家奥斯特瓦尔德所支持），皆旨在为世界提供一种通用语。莫斯科语言学会（The Moscow Linguistic Circle）在 1910 年代尤为活跃，调查研究了所有语言中的元音和辅音的语音基础。在《论艺术的精神》出版之前的几年中，康定斯基定期去往莫斯科，意识到了语言学的发展。在《黄色声音》中，他引入了一首咏叹调，令人想起阿里克谢·克鲁乔内赫（Aleksei Kruchenykh）用超理性语言（Zaum，即 transrational）写成的无意义声音诗："突然一身刺耳、惊恐的男高音从后台传来，急速地怪叫着一些难以识别的词语（经常能从中听见 a 的发音，例如 kalasimunafakola!，发音类似'卡拉西姆纳法科拉！'）。"这个唱段还让人联想到克鲁奇内赫的那些朋友，如诗人兼理论家韦利米尔·赫列勃尼科夫（Velimir Khlebnikov），他在 1913 年与马列维奇协同创作的反自然主义歌剧《战胜太阳》（*Victory over the Sun*）中加入了两首咏叹调，其中一首全部为辅音，另一首则全部为元音。

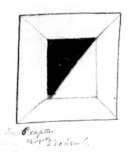

图 125 《战胜太阳》背景幕的设计稿，1913 年，卡济米尔·马列维奇。右边的设计稿通常被认为是马列维奇抽象风格——至上主义——的起源。

在这个时期，人们对语言的语音基础的研究与现代主义对形状、色彩基础的探究是齐头并进的。似乎正是马列维奇为《战胜太阳》设计的布景（图 125），激发他发展了早期几何抽象艺术中最不加修饰的风格——至上主义。歌剧上演几年之后，意大利未来主义艺术家福尔图纳托·德佩罗（Fortunato Depero）也写了一出抽象短剧《色彩》（Colours），在剧中，四种上了色的形状在一个蓝色的空房间内，用抽象的语言进行了一场对话。暗灰色的卵形体用一种动物般的声音没完没了地说话，发出了很多"is（发音类似'伊斯'）"和"us（发音类似'阿斯'）"的音，还有频繁出现的"blùs（发音类似'布里斯'）"和"bulùs（发音类似'布鲁斯'）"的音。富有活力的红色三角形多面体用一种"咆哮的、撞击的"声音说话，并在词语中使用了很多刺耳的辅音，例如"TORIAAAAKRAKTO（发音类似'托里阿阿阿阿卡拉卡托'）"。长且尖头的白色形状则用一种"又尖又细发脆的声音"说话，并经常伴有"is（发音类似'伊斯'）"和"zs（发音类似'茨'）"的音。而黑色的多球体用一种"非常深沉的喉音"发出低沉而洪亮的"ms（发音类似'姆斯'）"和"os（发音类似'欧斯'）"。色彩在这里似乎并没有得到表现，但这部剧作还是在 1916 年被收于一本未来主义短剧选集中发表。

在对通感现象的语言学研究中，色彩开始发挥一定作用。正如赫列勃尼科夫在 1919 年的一份宣言中写的那样："色彩画家的任务就是使几何形状的标志成为认识的基本单位……将表达诉诸于色彩是可能的，例如用深蓝色表示 M，用绿色表示 W，用红色表示 B（其他一些研究人员则用红色来表示 A），用灰色表示 E，用白色表示 L……"因此，色彩概念和语言概念长久以来就被紧密地联系在一起，而在 20 世纪，这为艺术家们提供了特别的灵感激发。以发明人美国心理学家命名的一个关于注意力的心理测试——斯特鲁普测试（Stroop Test），甚至倾向于认为，人类的大脑优先考虑的是事物的名称而不是对其的感知，至少随机选择的实验受试者们是这样的。贾斯珀·琼斯（Jasper Johns，生于 1930 年）在 1960 年左右绘制了一些画作，在观看和阅读之间的脱节上做文章，为颜色名词涂上了该种颜色的对比色（图 122）；葡萄牙艺术家塞西莉亚·科斯塔（Cecilia Costa）在创作的一段视频作品《Pli》（2003 年）中，呈现了各种各样的主题，尝试快速辨识列表中的颜色名词的颜色，其中只有"黑色"（black）是由黑色的字母组成。多数主题选择的是颜色名词而不是字母的颜色。琼斯的系列作品也许不过是他的习惯性嬉闹的又一例子，但这再次证明，即使在色彩领域，言语也是优先于视觉的。

如果语言依赖于对符号的一种集体认知，那么创造色彩语言的一个主要障碍就是色彩思想中那不可削减的主观性。尽管康定斯基提出，德语单词 rot，即"红色"（red），与色料相对照，其引发的感受"并不特别明显地趋向热或冷"（在别处，他仍然将这种色彩形容成一种"典型的暖色"），他的前同事约瑟夫·阿伯斯表示，在一个五十个人的小组中，这个单词可能使人想起五十种不同的红色。对于康定斯基来说，"丰富而多样"的红色，只有在物化成一种具体的形式时才出现。例如，人类文化语言学者论及的一种"焦点红"，是会存在一些普遍的认同。

在第六章中，本书将考察古代和中世纪欧洲文化中"紫色"的"红"，而在许多非欧洲语言中，红色、橙色和黄色会用同一术语涵盖。

在过去和现在的非工业社会中，色彩语言甚至引发了自相矛盾的异常现象。我们已经学会依据色相将色彩分类，但正如我们所知的，色彩还具有其他特征，例如纯度（饱和度）、明度或暗度、褪光度或光泽度、冷或暖，所有这一切对于艺术家来说都具有重要意义。许多抄本画家的色彩笔记注在一些页边的空白处，得以保存下来，它代表了工作室中的大师与各个画师之间的沟通代码，而对于这些笔记的解读，是有关前现代的手抄绘本工作室的谜题之一。例如，在许多法国手抄本中，红色的区域附近会有字母 v，那么把它视作 vermeille（vermilion，朱砂）的缩写还是比较合理的。但是绘本画师又是如何知道这个字母代表的不是 vert（绿色）呢？是否存在一个标准的工作室代码？是否出于肖像学的原因，受到质疑的人物才都身着红色？在中世纪法语中，一个术语在不同语境下既能表示红色又能表示绿色，这使得这一谜题变得复杂：古法语中的 sinople 这个词，在诗歌中意为红色（词源：sinopis），而在专业的纹章学术语中，则代表绿色。古法语并不是唯一使用红绿混合术语的语言；还有海因利希·佐林格（Heinrich Zollinger）引用过的两个现代亚洲的例子，而一些非洲部落认为绿色是由红色派生的，就像女性由男性派生的那样。

在中世纪的欧洲，这种矛盾也许与彩绘玻璃技术有关，人们用通过改变加热的程度，利用同一种铜氧化物为液态玻璃着上红色和绿色（图13）。佐林格举的日本和中国的例子中，绿色也许具有"新鲜"（正如古希腊语中的 chloron）的基本含义，所以"鲜红"（fresh red）也是完全可以理解的。技术也许是另一个异常的中世纪色彩术语背后的原因，bloi 和 caeruleus 可以指代蓝色或黄色，就像在处理染料植物菘蓝的过程中，黄色的叶子变成了深蓝色的染料。佐林格还指出了有关这一对特定对立面的其他例子，分别源自中欧、亚洲、非洲以及美国。这些异常使得理解一些早期的色彩文本变得格外问题重重，不过它们也表明，这些时期的艺术家对全球性的色彩理论并不太在意，而是依照当地的，甚至是某一个工作室的惯例来绘画。

关于色彩词汇的研究在过去的半个世纪里蓬勃发展，用法国人类学

图 126《变体：4 种绿，2 种灰》，1948—1955 年，约瑟夫·阿伯斯。

家克洛德·列维−斯特劳斯（Claude Levi-Strauss）的话来说，对于早期的人种志学者，这种研究是了解"野蛮人的头脑"运作方式的关键所在，但是只有少数人类文化语言学家把艺术家列入他们的受访者样本，这并不仅仅因为在他们研究的许多文化中"艺术家"这一范畴是未被辨识的。有一个例外，在 1970 年代，以色列和瑞士开展了一项了不起的研究：针对艺术专业和科学专业的学生，测试他们给色彩样品命名的响应时间。研究发现，科学专业学生的回应速度远比艺术专业学生迅速，解读认为，这表明艺术专业学生在命名时更为谨慎，他们作为视觉敏感的个体在过程中投入得更多。如果我们观察画家们的色彩语言，他们在彼此交谈时，通常会包括颜料的名称，往往还有特定的品牌名称。约瑟夫·阿伯斯是格外一丝不苟的技术派，他在晚年，在每一幅画的背面，精确地列出了画中使用到的颜色的名称。举例来说，在《变体：4种绿，2种灰》(*Variant: 4 Greens, 2 Greys*)（图126）的背面写有："使用颜料（以从中心向上的顺序）：钴绿（温莎牛顿牌）、镉绿（温莎牛顿牌）、永久色浅绿（经预测）、铬绿（温莎牛顿牌）、5号雷利中性灰（格兰巴切尔牌）、查宾中性灰（希瓦牌）。"当然，此处的语境是为了该作品未来的保护工作。

不过，艺术家在应对公众的时候，就都会满足于使用"红""黄""蓝"等笼统的术语。与众不同的是间色，尤其是三次色，会被赋予了不同寻常的、非标准的名称。早在12世纪，意大利南部的医生萨莱诺的乌尔索（Urso of Salerno）就坦言，他并不知道"许多由基本色混合而成的中间色"的名称，然而对于一个"好的画家"来说，能够示范比能够命名重要（虽然我们不知道有谁这么做了）。

在现代，梵·高和修拉偶尔会提到"难以名状的"或是"难以定义"的色彩，这表明了色彩体系在19世纪后期的广泛传播，促成了认为色彩确实是可以被定义的这样的预期，但是两位画家创造出的灰色和紫罗兰色具有细微的差异，并非主要由视觉混色达成。高更对难以定义的色彩特别感兴趣，他谨慎地避开了他朋友梵·高的强烈对比，并特别利用了二级和三级色相，以达成他所称的"谜"（图127）。他的最后一个得以幸存的调色盘也展示了他如何深入地掌控色彩，并混合出了难以定义的调和色（图128）。

尽管高更十分向往非欧洲文化，他还是积极参与研究19世纪后期的法国美学，尤其是象征主义文学中的美学。但是色彩语言是如何脱离文学而在文化中产生作用的呢？像中世纪的工作室那样，很大程度上依赖于口述传统吗？此外，澳大利亚原住民绘画的新近发展，则为色彩词汇与色彩实践之间的关系提供了许多重要的洞察。早在18世纪后期欧洲入侵澳大利亚时，英国人注意到，与他们自己相比而言，位于现在新南威尔士地区的原住民语言中的色彩词汇非常有限。这或许是人们在近代对于类似差异的首次发现，随着殖民扩张和同时发展的实地民族学，

图 127　纸上带有手写笔记的油画颜料样本及混合色，被认为出自《布列塔尼的耶稣受难像》（*The Breton Calvary*）的反面，1894 年，保罗·高更。高更与格外一丝不苟的技术派阿伯斯不同，他不像后者那样会罗列出来自四个供应商的颜料，而只是将一系列自己调出的红色和紫色混合色逐条列出。高更也是一个细心的工匠，虽然他罗列的样本中还包括了添加不稳定的铬黄和锌黄的混合色。许多混合色中都添加了锌白，这也是一种比较新的颜料，但是比其他白色要安全，而它在这里与朱红色调在了一起。

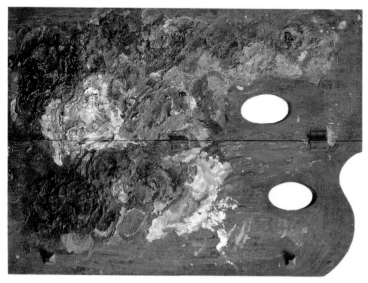

图 128　调色板，约 1903 年，保罗·高更。一块装满"无法命名"的混合色的调色板。

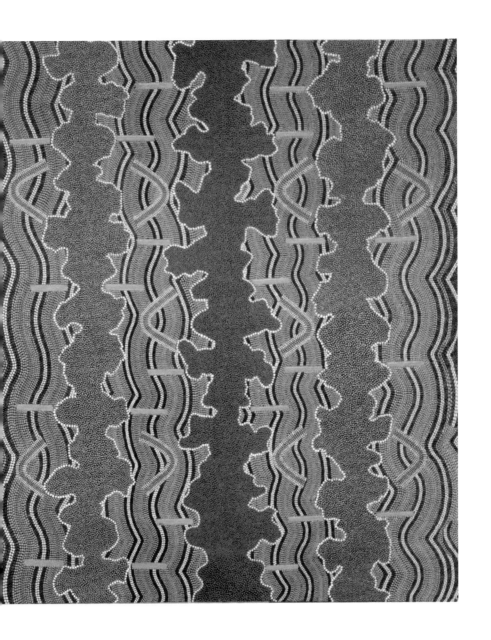

图 129 《纳珀比的水梦幻》（*Water Dreaming at Napperby*），1983 年，克利福德·泡泽姆·提加帕加利（Clifford Possum Tjapaltjarri）。克利福德·泡泽姆采用了中部沙漠绘画运动（Central Desert painting movement）的丰富的丙烯颜料色组，但是他坚称他并没有用"那些白人的色彩"。考虑到他使用的几种土著语言中颜色的归类方式与欧洲语言差异很大，这个自相矛盾的问题似乎得到了解决。

自 19 世纪中叶，这些发现为人类文化语言学提供了大量的基础，虽然在 20 世纪前，很少有研究涉及澳大利亚。1970 年代以后，尤其在澳大利亚中部和西部，土著画家们开始使用合成（通常为丙烯）颜料和鲜亮的配色组合，其中包括蓝色和绿色，许多非土著收藏家将其解读为一种对传统配色的彻底脱离，不论好坏。另一方面，艺术家们自己则不约而同地坚信他们的工作不仅与他们的传统文化产生了沟通，还促进了传统文化的发展，而这的确是其工作的主要功能。

克利福德·泡泽姆·提加帕加利掌握了属于三个不同语种的六种土著语言，在 1980 年代的一次采访中，他用英语这样描述自己的工作（图 129）："画圆，圆圈和梦幻。人体彩绘也可能是地面画（例如，用于舞蹈的）——之后你 —— 用很不很不（很不一样）的色彩——不是那些白人色彩，不——是那些本地色彩——那些红色，白色，黑色。"但是，泡泽姆是西部沙漠艺术家中最早使用各种丙烯颜料的画家之一，包括蓝色和绿色。

从本质上讲，问题一直在于语言方面的一种冲突。观者透过英语，或是法语、德语、意大利语等的面纱，观察这些画作，而作者们则根据他们自己的土著语言进行构思，用不同的，且通常来说是受限的方式来分割色彩空间。正如我们所看到的，一直以来就是这样，无论在古代还是现代，许多语言将"蓝色"归在"绿色"术语之下，即便古埃及人也是如此，正如我们在第四章中看到的那样，这个高度发达的文明以生产合成的埃及蓝而著称。

例如，一位最近刚过世的来自澳大利亚西部拉贾马努的艺术家声称，他会说九种土著语言，以及英语，但其中只有一种语言有"蓝色"的术语。吉米·罗伯特森（Jimmy Robertson）这位掌握多种语言的画家，像古埃及人一样大量使用蓝色，在他的土著语言中，蓝色通常被归在"黑色"术语之下，也很可能被看成是黑色的一个变种，因此，按照泡泽姆的话来说，蓝色是一种"传统"色彩而不是"白人的色彩"。这种语言学上的置换在克里奥语（Kriol）的这个例子中显得尤为明显。克里奥语是一种基于英语的克里奥尔语，广泛使用于澳大利亚北部地区，包括努古尔（Ngurr），另一位使用鲜艳多彩配色的画家金杰·赖利·芒杜瓦拉瓦拉（Ginger Riley Munduwalawala，约 1937—2002）（图 130）的家乡。克里奥语中有 blu 一词，但是这个术语似乎被视作与 blek 同词源，而 blek 通常用于描述蓝色的物件。在当下语境中，赖利是一个有趣的艺术

图 130 《利门湾河畔的乡村》（ *Limmen Bight River Country* ），1992 年，金杰·赖利·芒杜瓦拉瓦拉。金杰·赖利在看了首位成名的澳大利亚原住民画家纳玛其拉（图 132）的作品之后完成了这幅作品。赖利认识到他的调色组合远多于北方领地的本族传统画家（图 122）所使用的，但是他辩称，这种四色的调色组合只严格地在仪式中使用。

图 131 《桑德山》（*Mt Sonder*），年份不详，阿尔伯特·纳玛其拉。

家，因为他拒绝传统的黑、白、红、黄的有限的色组，理由是它们只适合仪式绘画，或描绘仪式上使用的物品。赖利受到了他最早的导师、首位著名土著画家阿尔伯特·纳玛其拉（Albert Namatjira，1902—1959）（图131）的启发，采用了一种表象的风格和景观意象。赖利像泡泽姆一样，非常了解土著配色与非土著配色之间的差异，而语言帮助他们在两者之间轻易转换，不像非土著观者那样要面对概念上的障碍。澳大利亚的经验表明，只有当我们熟悉了那种用于描述，甚至是进行思考的口头语言时，才有可能开始考虑一种色彩的"语言"。

第六章　色彩的意味

在人类文化语言学学术领域之外，对色彩语言的讨论通常涉及色彩隐喻的概念，因此色彩可以被轻而易举地用于象征。雕塑家阿尼什·卡普尔（Anish Kapoor）详尽地阐述了色彩具有的能力——能够以最直接的形式化的方式转换事物："它有一种隐喻价值，很广阔，这实在太让我感兴趣了。"因而，色彩象征主义经常被认为是文学的；即便是卡普尔的变形装置，若想要让观者认可，也必须用语言加以表达；而我在上一章中概述的有关色彩语言的所有问题，在这里都会开始显露出来。

虽然在 20 世纪早期，也就是人们对于通用的口头语言的渴望到达最高点的时候，卡尔·荣格（Carl Jung）等心理学家们提出了普遍的原型象征，色彩象征主义却始终不可避免是地方性的和与语境相关的。亚历山大·泰鲁（Alexander Theroux）著写的《三原色》（*The Primary Colors*，1995 年）的第二版中有信息量庞大的色彩意义列表，浏览一下便知足以证明这一点。诚然，从某个角度看来，一些例子确实能够说明色彩的隐喻功能，例如：红色意味着鲜血，而绿色意味着新鲜的植物或者生长本身，然而不可避免的是，具有意义的却是被象征的物体，而非色彩，因为即便是同一种自然物体，在颜色上也可能具有很大差异。布鲁斯·瑙曼

图 132 《白色愤怒，红色危急，黄色冒险，黑色死亡》，1985 年，布鲁斯·瑙曼。瑙曼在一件充满政治威胁的作品中，挖掘了有关色彩的陈词滥调。

（Bruce Nauman，生于 1941 年）在他的 1985 年的灯光装置作品《白色愤怒，红色危急，黄色冒险，黑色死亡》（*White Anger, Red Danger, Yellow Peril, Black Death*）（图 132）中，因为技术原因用了蓝色来代表黑色，但是这几乎没有对作品的意义产生影响，虽然瑙曼并非来自一个会常规地用一个术语涵盖蓝、黑两种色彩的非工业化社会。的确，在现代世界，"黑色"在所有颜色中可能是被赋予最多寓意的色彩术语，而在瑙曼所在的美国，则是最具有政治意味的。凭借着色彩，以及类似纳粹标记的形状，瑙曼的这件作品的确政治色彩浓重。

在以下两个语境中，国家意识形态让其社会成员对色彩的象征价值印象深刻：罗马帝国对紫色的态度，以及伊斯兰世界的国旗中绿色的运用。在古代世界，贝壳紫是最宝贵的染料，首先因为它非常费工，故加工处

图 133 《查士丁尼、马克西米安主教与众侍从》（*Justinian, Bishop Maximianus and Attendants*），约 547 年，圣维塔莱教堂（S. Vitale），拉韦纳（Ravenna）。贝壳紫是皇帝与其随行人员的专属特权，因而在古代是最重要的色彩。但是仍然不确定它到底是什么颜色。这幅马赛克画往往被视为是幸存至今的最可靠记录，因为马赛克的着色比较稳定。虽然玻璃马赛克原有的表面光泽现在已基本被侵蚀，但这种光泽与文献中提及的那种被人们所崇尚的紫色布料的光泽是密切相关的，而且这可能要比一种具体的色相更为重要。

图 134　圣约翰福音（Gospel of St John），加冕福音（Coronation Gospels），8 世纪。奢华的皇室"紫色抄本"相当于古代手抄本中的紫色布料，但是正如本例所示，"紫色"经常被理解为鲜红色。

理过程成本高昂，其次是因为其无与伦比的耐光性和耐久性。至少从理论上来说，这些特点使得紫色在许多世纪中，成为了皇室和政府的合法的强制性特权，并且在整个中世纪，甚至在现代，都持续作为皇室的象征。但是紫色这个色彩仍然是一个谜，因为早期的文献表明它不仅被归类成一种红色，而且最好的紫红色布料会在反射光下显得很暗，而在透射光下则呈现一种火红，而且也有着一种备受赞美的表面光泽，拉韦纳（Ravenna）的圣维塔莱教堂（S.Vitale）中查士丁尼皇帝宫廷中新完工的马赛克（图133）原本一定是很好地呈现了这样的光泽。现在，表面的侵蚀和现代照明使得人们很难欣赏到原有的光彩。那些奢华的加洛林王朝时期所谓的"紫色"手抄本也通常有着鲜红色的页面（图134）；文艺复兴时期的亚里士多德主义者认为"紫色"（halourgon）在拉丁语里，有时候会被翻译为当时最昂贵的"红色染料"（coccineus）。歌德在1810年的《颜色论》中，用"Purpur"来命名他认为最有价值的、久负盛名的红色，以纪念"推罗紫色"（Tyrian Purple），尽管他知道这种色彩与古代种类相比，所含的蓝色要少很多；然而，当在描述制作贝壳染料过程中的光化学变化时，他把最终产品表征为"一种纯粹的鲜红"（eine reine hohe rote Farbe）。贝壳紫的化学成分与蓝色植物靛蓝染料的化学成分十分相近，而这个事实让问题变得更为复杂；罗马建筑理论学家维特鲁威（Vitruvius，公元前1世纪）声称，在寒冷的北部水域中的贝类产出的紫色比南部水域的要蓝一些，南部水域的贝类产出的紫色看起来更红。同样的，在希伯来语中有两个术语用来表示紫色染色，argaman表示偏红的色彩，而tekhelet则代表偏蓝的种类。因此，早期欧洲文化和中东文化令人印象最为深刻的，与其说是紫色其特定的色彩本身，还不如说是紫色的珍贵。

绿色所处的语境则截然不同。许多含有绿色的现代国旗都属于伊斯兰国家（图135），因为传说穆罕默德的斗篷和旗帜都是绿色的，而且在《古兰经》中（第十八章，第31句；第七十六章，第21句），那些在天堂中蒙福之人都身着绿色丝绸长袍。14世纪的一位波斯神学家阿尔奥德

图 135　沙特阿拉伯国旗。绿色经常出现在伊斯兰国家的国旗中，因为这一色彩与先知穆罕默德密切相关。题词是：万物非主，唯有真主，穆罕默德是安拉的使者。

图 136《战舰波将金号》场景，1925年，谢尔盖·爱森斯坦。在黑白摄影图像中引入彩色元素已成为现代广告中的陈词滥调，但是爱森斯坦将手绘的红色旗帜引入他的电影的做法，从字面上说产生了革命的效果，该影片描述了海军兵变，迎接1917年革命的到来。

图 137 《自由引导人民》（*Liberty Leading the People*），1830 年，欧仁·德拉克洛瓦。德拉克洛瓦笔下的关于 1830 年七月革命的寓言般的庆祝颂扬，赋予新的法国三色旗以突出的作用，创造了 1789 年早期革命中代表统一一的一个象征。在画面右边的远处，圣母院的其中一塔上有着一幅很小的图像，为同样的旗帜，在 7 月初，它的竖立团结了巴黎的人民。

瓦·塞马纳尼（Alaoddwa Semanani）认为，穆罕默德本人所起的神圣中心的作用，就是一个绿色的发光体，因为绿色是最适合"谜中之谜"的色彩。穆斯林传奇故事中的绿人（The Green Man）黑德尔（Khidr）作为调停者的角色，所以是绿色的，而在西方中世纪的传统中，绿色也被看作是光明与黑暗之间的中间色。但是在伊斯兰世界以外，国旗中的绿色被赋予了很不同的意义。原墨西哥三色旗中的绿色被认为是摆脱西班牙而独立的象征，尽管现在的观点认为，它与葡萄牙国旗中的绿色一样，代表着希望，这个概念出自传统基督教神学三德中代表希望的色彩。许多其他国家旗帜中的绿色，代表的只是葱茏的大地。

　　艺术家在开发旗帜引起共鸣的方面，行动毫不缓慢。俄罗斯电影导演谢尔盖·爱森斯坦（Sergei Eisenstein，1898—1948）在他最著名的电影《战舰波将金号》（*Battleship Potemkin*）中，通过给黑白电影原胶片上色，引入了一面红色的旗帜（图 136）。这是他第一次在电影中尝试使用色彩，而且他强调说，它"像号角声一样"的力量并不是来自于色彩本身，而是来自它的革命意义。据传闻，至少在 1794 年的版本中，新古典主义画家雅克—路易·大卫（Jacques-Louis David）本人设计了最经典的旗帜——法国三色旗，其中就包括了在桅杆上自由飘扬的革命红。法国三色旗也许是最具影响力的国旗设计之一（图 137）；当然，在其他许多国家的国旗中也有红、白、蓝的组合，包括法国的老朋友——美国，以及老对手——英国。1971 年，来自南澳大利亚的艺术家鲁里提亚·哈罗德·透

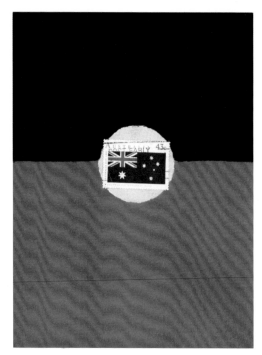

图 138 《无题（土著国旗）》（*Untitled [Aboriginal Flag]*），1991 年，菲奥娜·福利（Fiona Foley）。在土著居民获得澳大利亚公民资格四年后，土著国旗于 1971 年被采用，在许多非传统土著艺术中成为了强有力的政治象征。它采用了四种"传统"色中的三种：土地的红、太阳的黄以及皮肤的黑。只有第四种白色被排除在外，原因显而易见。

图139《白色旗帜》(*White Flag*)，1955 年，贾斯珀·琼斯。贾斯珀在一系列灰、白旗帜作品中，将红色和蓝色从美国国旗中剔除，该手法对最有力的国家象征摆出一个典型的放肆姿态。

纳（Luritja Harold Turner）设计了新的澳大利亚土著国旗（图 138）。旗帜的色彩与德国三色旗很接近，虽然后者中的黄色称为"金黄"，而且代表着"忠诚"而非太阳。原住民眼中的太阳是黄色的，而日本国旗中的太阳正在从东方升起，因此是红色的。黑色是原住民的肤色，而在德国国旗中它代表了土地、铁以及"严肃"（Ernst）。在土著的澳大利亚，土壤是红色的，所以在土著国旗中如是表示；但是在德国国旗中，红色代表鲜血和勇气。红色是一种常见的国旗色彩，但是，根据各种各样的官方诠释，作为国家地位的象征，它可以意味着：战争、鲜血、勇敢、权威、火、团结、革命、土壤、牺牲、信念、太阳、自由、反抗、剑术和骑术、独立、法律和权力、友爱和平等、民族、慈善、活力和友善、温暖。

　　在现代世界，如果说国旗显而易见地代表了官方支持的色彩象征，那么它们同样也继承了色彩意义中非常传统的含糊不清。然而国旗的色彩（当然，正是我们"展示"的"色彩"）总是承载着深厚的国家象征：贾斯珀·琼斯（Jasper Johns）在 1950 年代后期创作的美国白色国旗（图 139），则是

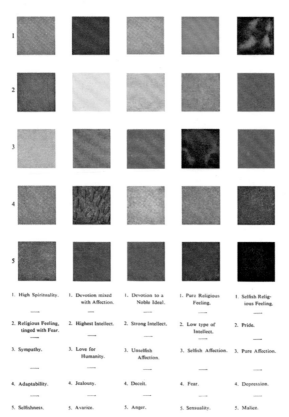

图 140《色彩意义的关键》(*Key to the Meaning of the Colours*),出自《可见的人与不可见的人》,1902年,C. W. 利德比特。

上方列表英文为:

1. 高灵性	1. 掺杂着感情的忠诚	1. 对某个崇高理想的忠诚	1. 纯粹的宗教感觉	1. 自私的宗教感觉
2. 宗教感觉	2. 最高的才智	2. 很强的才智	2. 低等级的才智	2. 骄傲带着恐惧
3. 同情心	3. 对人性的热爱	3. 无私的情感	3. 自私的情感	3. 纯粹的情感
4. 适应性	4. 妒嫉	4. 欺骗	4. 恐惧	4. 抑郁
5. 自私	5. 贪婪	5. 愤怒	5. 感官享受	5. 恶意

另一个尤为放肆的琼斯式的悖论，而非传统的投降迹象。

国旗色彩所呈现的色彩象征是曝光率最高的。不过，即使在现代世界也存在着这样的边缘群体，他们宣布了一套色彩意义的词汇。其中之一就是在1875年成立于纽约的神智学会（Theosophical Society），其1900年左右出版的一批刊物中，刊载了解读彩色光环的关键（图140）。由于这些来自人体上方及周围的色彩和形状的表现只有灵视者才看得见，所以其作为一种语言的地位是有问题的，但是有充分的理由相信，他们的出版物吸引了抽象绘画的先驱们，其中一些人对生命和精神抱有特别的兴趣，因而他们理应也确实得到了一些远超过他们服务社团范围的关注。C. W. 利德比特（C. W. Leadbeater）的《可见的人与不可见的人》（*Man Visible and Invisible*，1902年）讨论了一系列代表着人类通往精神启蒙进程的"星体躯体"。他对"发展完全的人"的星体躯体（图141）的解释强调了他的合理性："（他的）欲望完全由头脑掌控，有着坚实的理性基础，不再容易被狂热的情绪涌动卷走。这一点在才智的迹象——深黄色的存在和其位置上体现得尤为明显：

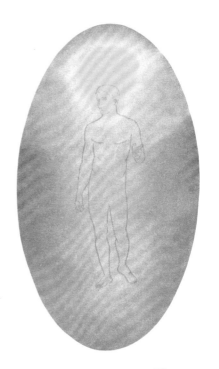

> 当该色彩出现在椭圆中时，总是出现在上面的部分，紧靠头部，因而这就是灵气或光辉应该围绕在圣人头部的想法的由来，因为这是星体躯体中最引人注目的色彩，而且对于那些接近具有

图141 《发展完全的人的星体躯体》（*Astral Body of the Developed Man*），出自《可见的人与不可见的人》，1902年，C. W. 利德比特。神智学者利德比特揭示了灵视者眼中的人类（男性）光环，并对其色彩加以阐释。

灵视能力的人来说，这也是最容易被感知到的色彩……毫无疑问，正是从偶然闪现的这种现象中，或是从那些看得见的人留下的传统中，我们的中世纪画家，推导出圣人头部围绕着光辉的想法。

该幅彩色图像与威廉·布莱克在 1796 年左右创作的水彩画《升起的阿尔比恩》(*Albion Rose*)(图 142)有着惊人的相似之处，而且有可能出自布莱克的挚友——水彩画家、神秘学者约翰·瓦利(John Varley)的孙子之手，瓦利是埃及风景画专家，并且是另一部具有影响力的神智学著作《思想的形态》(*Thought Forms*，1905 年)的插画作者之一，该书由利德比特与安妮·贝赞特(Annie Besant)合作完成。在 1880 年代，小约翰·瓦利(1850—1933)也成为了神智学会的合创人海伦娜·布拉瓦茨基(Helena Blavatsky)的神智学圈的成员，而且瓦利有办法接触到自 1856 年以来一直收藏于大英博物馆的布莱克的水彩画。

瓦利的"发展完全的人"的姿态像一位古典时期的演说家，利德比特认为这是一幅理性的图像，这一观点与布莱克在《升起的阿尔比恩》中的概念完全一致(也许是凑巧)，阿尔比恩呈现的是"维特鲁威人"(Vitruvian Man)的姿态，这是万物的尺度、比例的至高无上的表达，因此为其所用。但是，布莱克与利德比特的不同之处在于，他并没有以积极的态度去看待。他的水彩画成了对牛顿的世界图景的辩论式评述的一部分，阿尔比恩和周围的像光谱状的色彩扇形，则是一种关于分割的光线、唯物主义以及堕落世界的图像。该作品的后期修订版铜版画制作于 1805年，其中有一处铭文表明，阿尔比恩所跳的是"永恒的死亡之舞"。

与利德比特同时期的一位艺术家对神智学表现出了强烈的兴趣，虽然他似乎从来不曾是神智学会的一员，并与神智学的色彩解读意见相左，尤其是关于黄色。康定斯基对待色彩的方式植根于极性的理念，很大程度上从歌德《颜色论》的基础上发展而来。与歌德一样，康定斯基认为蓝色与黄色是基本的色彩双边对立，而蓝色之于康定斯基，如同之于神智学者那样，是至高的精神色彩。但是黄色，在康定斯基眼中，作为蓝

图 142 《升起的阿尔比恩》，约 1796 年，威廉·布莱克。该作品也许是《可见的人和不可见的人》（参见图 141）中图像的来源，因为此书中插图的作者是威廉·布莱克的密友约翰·瓦利的孙子，这位神智学者还为另一本由利德比特写作的书画了插图。阿尔比恩的光环与利德比特的发展完全的人的光晕一样，隐含着寓意，但与利德比特不同的是，对于布莱克来说，它具有消极的属性。

色的对比色，与利德比特所谓的理性色相去甚远。"黄色是典型的大地色"，他在《论艺术的精神》中这样写道。读到这里为止，都还算合理，因为利德比特认为这是头脑的特点，而非灵魂。然而康定斯基继续写道：

> 如果把它比作人类的头脑状态，会产生呈现疯狂的效果（并非悲伤或是忧郁，而是狂躁、盲目的疯狂或暴怒），像疯子一样攻击别人，摧毁一切，其身体的力量向着各个方向消散，没有计划也不受限制，直到彻底精疲力竭。它也好像在树叶绚烂的秋里，夏不顾一切地倾注了最后的力量，宁静的蓝色被带走了，升入了天堂。充满野性力量的色彩升起来了，然而，却缺少了天赋的深度。

康定斯基顺便提出，金丝雀的黄色和它的高鸣啭声之间存在着内在联系，因而，也许会让人感到惊讶的是，舞台作品《黄色乐章》（与《论艺术的精神》同时发表于《蓝色骑士年鉴》）中，第一幕里的五个光鲜的黄色巨人的歌声"很低沉"；而在第三幕中，随着灯光由沉闷的暗黄色过渡到明亮的柠檬黄，铺满了空荡荡的舞台，乐谱［作者：托马斯·冯·哈特曼（Thomas von Hartmann）］变得越来越深沉和暗淡。康定斯基在随附的一篇关于舞台创作的随笔中表达了自己创作鲜明对比和失调的作品的愿望；而在解读黄色中的这些矛盾，为"对比的法则"做了例证。"对比的法则"由重要的浪漫主义色彩象征理论家巴隆·弗雷德里克·波塔尔（Baron Frédéric Portal）提出，举例来说，认为红色既象征爱又象征恨。这与中世纪的象征手法十分相近，本质上是一种类似比喻的修辞手段（虽然波塔尔探讨的例子从古代跨越到现代，这里的现代即为他所处的年代—1837 年），但是这与神智学者的，甚至是康定斯基的基于心理学的教条倾向不相一致。

在 1911 年，康定斯基结识了作曲家阿诺德·勋伯格（Arnold Schoenberg），并与他保持了多年的通信。勋伯格在不谐和音方面的探索对康定斯基的"对立和矛盾"的新和谐概念产生了强有力的刺激。康定斯基在创作他作品中运用黄色最多的《印象 3 号（音乐会）》（*Impression*

图 143 《印象 3 号（音乐会）》，1911 年，瓦西里·康定斯基。这里探讨的音乐会是一场勋伯格的《三首钢琴曲》（*Three Pieces for Piano*）的表演，而似乎对于康定斯基来说，黄黑对比具有一种与作曲家的音乐技巧相类似的效果。

III〈*(Concert)*〉（图 143）的时候，也许心里想的就是勋伯格的音乐，那是他在听了《钢琴曲三首》（*Three Pieces for Piano*）（第 11 号，1909 年）的演出后完成的。这里，黄与黑是最主要的对比，正如《论艺术的精神》中的图表 1（图 144）展示的那样，黄与蓝之间的对比与最强烈的黑白对比非常相近，其中黄与白是高度活跃的元素，而蓝与黑则是全然退缩的元素，或者说是被动的元素。康定斯基在同一宣言中指出，勋伯格在四重奏中对单个音乐元素的分隔处理为舞台作品上了有用的一课，如之于康定斯基本人的《黄色之声》（*Yellow Sound*）那样。而在《印象 3 号（音乐会）》中，康定斯基在黄与黑上达到了同样的独立性。从一些预备草稿中可以看出，黑的形状是表演中使用的三角钢琴的一种抽象表达。

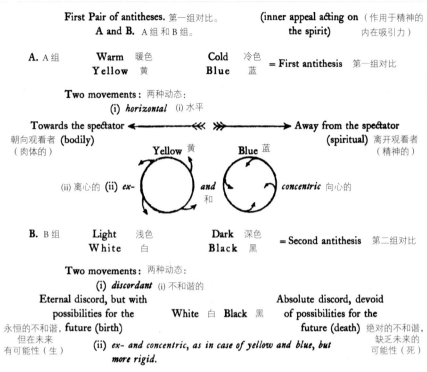

First Pair of antitheses. 第一组对比。 (inner appeal acting on（作用于精神的
A and B. A组 和 B组。 the spirit） 内在吸引力）

A. A组　Warm 暖色　Cold 冷色　= First antithesis 第一组对比
Yellow 黄　Blue 蓝

Two movements：两种动态：
(i) *horizontal* (i) 水平

Towards the spectator ←——《《　》》——→ Away from the spectator
朝向观看者 (bodily)　Yellow 黄　Blue 蓝　(spiritual) 离开观看者
（肉体的）　　　　　　　　　　　　　　　　　（精神的）

(ii) 离心的 (ii) *ex-*　*and* 和　*concentric* 向心的

B. B组　Light 浅色　Dark 深色　= Second antithesis 第二组对比
White 白　Black 黑

Two movements：两种动态：
(i) *discordant* (i) 不和谐的
Eternal discord, but with　　　Absolute discord, devoid
possibilities for the　White 白 Black 黑　of possibilities for the
永恒的不和谐 future (birth)　　　future (death) 绝对的不和谐
但在未来　　　　　　　　　　　　　　　　缺乏未来的
有可能性（生）　(ii) *ex- and concentric, as in case of yellow and blue, but*　可能性（死）
more rigid.

(ii) 离心的和向心的，与黄和蓝的情况类似，但更为强烈。

图 144　图表 1，出自《论艺术的精神》，1914 年，瓦西里·康定斯基。

　　虽然康定斯基的形状主题在他的后半生中一直处于一种变换的状态，但是他的色彩（处理）手法却相当恒定。例如，1917 年十月革命之后，他在 1921 年表示他的色彩已经变得"更明亮且更吸引人"，这一点很难让人看出，而这个说法不仅仅是为了讨好布尔什维克领导人，康定斯基常常与他们存在分歧。更值得注意的是，在德绍包豪斯的新构成主义气氛里，他依旧在 1926 年的包豪斯书籍《点线面》（*Point and Line to Plane*）中向读者灌输他 1911 年的关于色彩理念的宣言。1930 年代早期，康定斯基依旧在阐述神智学者鲁道夫·斯坦纳（Rudolf Steiner）的观念，后者在该世纪第一个十年里创作的灯光剧是康定斯基本人舞台作品的主

图 145 《红色椭圆》，1920 年，瓦西里·康定斯基。该作品绘于俄罗斯，画中的形状比康定斯基早期作品中的更简单、更趋于几何，这与俄罗斯构成主义者的新风格是密切相关的。但是红色椭圆形同样包含了很浓的象征主义意味。

图 146 《无题》（*Untitled*），约 1917 年，伊凡·克留恩。1917 年十月革命之后，俄罗斯的艺术院校变成了美学实验室。在研究几何形状和色彩的属性方面，克留恩是最有影响力的教师之一。

要灵感之一；他的与冥想相关的文章包括了一份色彩意义的报告，而康定斯基在 1908 年仔细研究过这篇文章。迟至 1939 年，康定斯基重申了《论艺术的精神》中的色彩法则，比如，"红色（朱砂）能够给人以响亮鼓点的印象"。

在俄罗斯革命年代，红色所具有的冲击力的特点在画中显得尤其引人注目。作品《红色椭圆》（*Red Oval*）（图 145）不仅见证了画家关于形状的奇思妙想是多么非凡与出众，还表明了在解读色彩时，仅靠单一的参考方案是很困难的。形状结构的相对简单性和新出现的平的、棱角分明的形状，导致一些评论人士把该作品与俄罗斯至上主义以及马列维奇和波波娃（Popova）等人作品中频繁出现的不规则四边形联系了起来。在 1917 年左右，椭圆本身是伊凡·克留恩（Ivan Kliun，1873—1943）形状实验中的常见的图形（图 146）；1918 年，克留恩创作了一幅关联尤其紧密的作品，其中一个暗红色椭圆形被安排在了一个梯形结构里（图

147），这幅作品于同年在莫斯科的"方块杰克"（Jack of Diamonds）展览中展出。在康定斯基的环境中，还流通着其他，甚至是更具活力的红色卵形体：例如"思想的形态"（"Thought Forms"），也就是利德比特与贝赞特的书中的《明确的情感》（*Definite Affection*），康定斯基拥有 1908 年的莱比锡版（图 148）。但是，正如我们在第三章中看到的，在至上主义中，原色通常与"初级的"形状联系在一起，例如红色与圆形（波波娃），它们在康定斯基的理论中也是如此。无论如何，康定斯基很快表达

图 147《无题》（*Untitled*），1918 年，伊凡·克留恩。

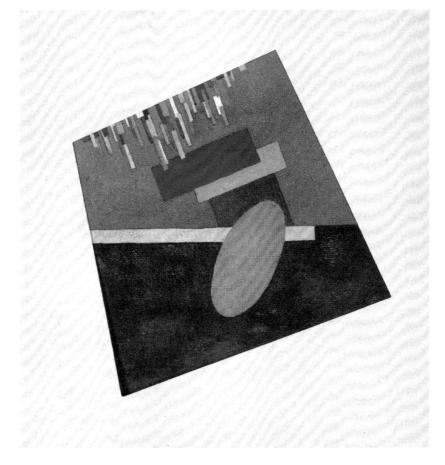

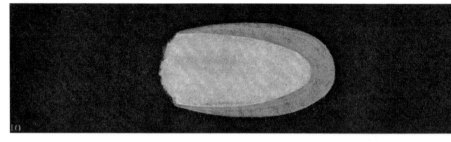

图 148 《明确的情感》，出自《思想的形态》（*Thought Forms*），1905 年，A. 贝赞特和 C. W. 利德比特。神智学运动中出版有很多书籍，列举了人类在陷入某特定情感时，身体周围能被感知到的形状和色彩（图 141）。早期抽象艺术家对这些插图格外感兴趣。

了他对至上主义艺术家过度"实验性"途径的厌恶。

佩格·魏斯（Peg Weiss）在对康定斯基早期人类学作品的持续影响的研究中，对《红色椭圆》采取了更偏向传记研究的方法。1920 年 6 月，康定斯基的儿子沃洛迪亚于婴儿期死亡，而在旧俄时期，复活节后人们把红色的蛋带去墓园，以纪念逝去的亲友。确实，在俄罗斯的一些地区，人们会在复活节时把红色的蛋扔到小溪里，以纪念受洗之前就去世的婴儿。所以该画作也许就是艺术家对自己过世的儿子的一个纪念物。抽象的船的图像强化了分隔生与死的溪流这一概念，魏斯将这与旧俄的信仰联系在了一起：认为灵魂在死亡之后会乘坐一条船去另一个世界。

红色的蛋，红色的革命，红色的方块（包括康定斯基的红色方块），以及俄语中的"红"（Krasnii），意味着"美"。1920 年的莫斯科，所有这些理念也许共存在画家的脑中。但是，或许对于康定斯基来说，最重要的元素是一种较暖的红色所具有的充满活力的力量，倾斜地设置在一个动态的形状里，先与一种强烈的绿色作对比，然后是与黄色的梯形底作对比，梯形本身是倾斜的且与尖锐的蓝色形状相接，也同样充满活力。在 20 世纪早期的艺术家中，康定斯基是表达能力最强的色彩意义的阐述者，然而即使在他自己的画作中，他也做不到将色彩限定在一种单一连贯的意义之中。

第七章　色彩与感官统合

关于色彩是视觉表现的主要元素这一看法，有一种支持的观点认为，色彩使艺术更靠近自然。我们发现，这与普遍的观点相去甚远，而且从很多方面来看似乎是不合情理的；然而从古代到 19 世纪，再现自然被认为是绘画的首要功能，这是占主导地位的观念。在意大利文艺复兴时期，最早的关于各种艺术形式诸如绘画、雕塑和诗歌之间的关系的探讨（比较论，the Paragone），发表于巴尔达萨雷·卡斯蒂廖内（Baldassare Castiglione）的《廷臣之书》（*Book of the Courtier*，1528 年），作者自称书中记录了发生在该世纪早期的乌尔比诺朝廷的讨论，其中一名参与者卢多维科·达·卡诺萨伯爵(Count Ludovico da Canossa)对绘画致以了颂词(尽管他在序中认定了绘画中的一切都必须依赖于光影）：

表现肉体与布料织物时，对大自然的色彩的模仿难道一点都不重要吗？大理石雕塑家是无法做到这一点的。他甚至无法表达黑色和天蓝色眼晴的亲切注视，散发着爱的光芒；无法展示金发的色彩、铠甲的光芒、深邃的黑夜、海上的暴风雨和闪电，以及着火的城镇或是拂晓时玫瑰色天空透出的金色和紫色的光。简言之，（雕塑家）无法表现天空、海洋、土地、山脉、森林、草甸、花园、河流、城

图 149 《歌舞声喧》（*Le Chahut*）的最终习作，1889 年，乔治·修拉。修拉后期的作品深受他的数学家朋友查理·亨利的影响。亨利提出，上升的线条与暖色能够创造出让人兴奋的感觉，而下降的线条与冷色则会产生相反的效果（图 62）。该作品中充满活力的主题和新印象派的技法，十分有效地表达了抽象概念。

　　镇和房屋，但是画家却可以做到这一切。

这段文字中，卡诺萨实际上不仅勾勒出了西方绘画在未来的议程，而在本章语境下显得更为重要的是，还指出了 18、19 世纪风靡欧美的戏剧娱乐活动的类型。令人惊讶的是，他强调的重点在于风景（而不是主要发展于 16 世纪早期的风俗画），因为正是在风景画中，从鲁本斯到康斯太布尔，从拉斐尔前派艺术家到莫奈，他们对户外景色色彩的忠诚成为了审美的中心目标，尽管从上面列举的画家中可以清楚地看出，"忠诚"由什么组成在不同的艺术从业者眼中是有区别的。

同样地，在风景画中，色彩对于照明以及语境的依赖性变得最为明显，而对于自然主义画家来说，他们必须考虑这一事实，并根据对特定时刻的需求去利用或忽略它。在戏剧中，这种依赖性能够且的确成为了一种强有力的新媒介的基础。艺术史鲜少借鉴采纳戏剧舞台设计史，尽管后者激发并吸引了莱昂纳多·达·芬奇、爱德华·蒙克、卡济米尔·马列维奇、瓦西里·康定斯基、贾斯珀·琼斯等重要的艺术家们的天赋。然而在色彩的历史中，戏剧起到了至关重要的作用，因为它首次为色彩与光线的交相融合提供了场境，且因隔着长距离留下印象的需要引导了破色法和锐利的色彩组合等技术的发展，而这些技术的使用已让架上绘画家和壁画画家期盼了几十年。

关于古代露天观赏的表演艺术中的多媒体元素，我们了解甚少，但明确的是，中世纪的室内宗教仪式，伴随着移动的行列，唱咏、焚香、灯饰和灿烂的法衣，所有的感官同时参与其中。宗教戏剧为现代戏剧提供了许多要素，尤其是色彩与照明。15 世纪在意大利北部小镇雷韦洛（Revello）曾上演"受难记"（the Passion Play），在该剧的一套值得注意的舞台指导中，我们读到，在主显圣容的过程中，耶稣的长袍褪下红色变为白色光芒的瞬间，一个临时准备的聚光灯——磨光的反射镜——聚焦在基督身上。1500 年左右，在欧洲北部的蒙斯（Mons）也有类似的情形，在同一幕场景中，基督的面部和双手涂上了金色，他的长袍是尽可能白的白色，舞台指导还规定，在他的后方要放置一个"巨大的太阳"。

皇室赞助者们常常要求艺术家们设计舞台布景：在 1490 年的米兰，莱昂纳多·达·芬奇为一幕纪念洛多维科·斯福尔扎公爵（Duke Lodovico Sforza）夫人伊莎贝拉（Isabella）的"天堂篇"（Paradiso）景象提供了布景。形状为半个卵形，内侧有镀金装饰，还有许多"像星星一样闪烁着的"蜡烛。七大行星的象征移到了上部，黄道十二宫的标志则在玻璃滤镜后方点亮。这是为一部关于阿波罗神、宁芙仙女和其他古典人物的音乐剧准备的布景。艺术家们自己也会精心筹办宴会，尤其是在意大利，在那里，他们的赞助人常常作为客人受邀。雕塑家乔瓦尼·弗朗切斯科·鲁斯蒂奇（Giovanni Francesco Rustici）是一位不同寻常且喜欢交际的艺术家，他出资举办了许多主题宴会。画家和艺术史学家乔治·瓦萨里（Giorgio Vasari）曾经这样描述他安排的一次野餐会：这种场合听起来像完全即兴的"大锅饭同盟"（Company of the Cauldron）组织。宾客们并非围坐在桌边，而是坐在一个巨大的葡萄酒缸里，形状像一个大锅，并点缀着油画。宾客与食物"像浮在水面上似的"，上方柄处的吊灯点亮了整个宴会。下方升起一棵"枝繁叶茂的树"，上面放着给客人们的第一道菜。当他们享用完毕后，树便下降，回到乐师们演奏的地方。之后的菜肴也以同样的方式呈现。其他的艺术家们也会带上美味佳肴。例如，安德烈亚·德尔萨尔托（Andrea del Sarto），他提供了一种外形像佛罗伦萨洗礼堂的多彩菜肴，由果冻、香肠、帕尔玛奶酪、糖霜、杏仁蛋白软糖制成。如是，菜肴至少兼顾了五官感觉中的四种感觉，即视觉、听觉、味觉和嗅觉。

这些表演的视觉效果自然很大程度上依赖于照明。1439 年在佛罗伦萨的圣母领报教堂（Santissima Annunziata）上演的"圣母领报"剧，采用了五百盏左右的不间歇旋转、上升、下降的灯来再塑天堂，表演中还有从天堂下到人间的火焰和雷鸣之声，它们"从前方倾泻来下，并扩散开来，强度和音量不断增加……点亮了教堂里的灯盏，但没有烧着观众的衣服或造成任何损害"。在复活节的佛罗伦萨主教堂广场上，当代表着圣灵的圣鸽飞出教堂，并点燃放置在华丽的推车内的烟火时，现代的游客还能从中感受到这些效果的些许回响。

16 世纪的意大利舞台表演采用了装满蒸馏水的玻璃罐充当透镜，以增加亮度，作用类似的还有位于后方的有光源的彩色液体水晶球。建筑理论家塞利奥（Serlio）描述了以此方法创造一片蓝天所需要的化学

图 150　根据《第三间奏曲》（*Intermezzo III*）原始设计创作的版画，1589 年，贝尔纳多·布翁塔伦蒂（Bernardo Buontalenti）。小的幕间剧偶尔会在宴会的一道道菜肴之间上演，它们是 16 世纪意大利所有戏剧场景中，使用机械道具与照明最煞费苦心的。布翁塔伦蒂于 1589 年基于有声宇宙的一种召唤而描绘的场景中，有着色的圆拱——参考柏拉图的厄尔神话（《理想国》第十卷 <Republic, Book 10>），作品藏于佛罗伦萨的乌菲齐美术馆（Uffizi Gallery），被认为率先使用了脚灯。

添加剂的精确数量。佛罗伦萨建筑家贝尔纳多·布翁塔伦蒂（Bernardo Buontalenti，1531—1608）率先在他的幕间剧中使用了地脚灯，该剧取材于柏拉图的《理想国》（*Republic*）中多媒介的宇宙图景，于 1589 年在乌菲齐美术馆上演（图 150）。这次表演中出现了一场雷电交加的暴风雨，这在以后的几个世纪里成为了司空见惯的戏剧效果。

戏剧中的灯光和色彩

　　这类极度奢侈的舞台奇观只能够偶尔在资金充裕的时候上演，但在 18 世纪，尤其是在法国，发展起一种定期上演的剧场景观新类型，其中严格控制的灯光照明对舞台效果产生了至关重要的作用。一种新的手段是由瑞士人艾梅·阿尔冈（Aimé Argand）设计的改良油灯提供的，这种灯发出的亮光是优质蜡烛的十二倍多，于 1784 年在伦敦获得专利。然而这一新技术滋养的流行趣味，早已由建筑设计师乔瓦尼·尼科洛·塞尔万多尼（Giovanni Niccolò Servandoni，1695—1766）在法国和英国建立起来。塞尔万多尼从 1728 年开始，任巴黎歌剧院（Paris Opéra）的首席场景设计师。在 1720 年代，塞尔万多尼利用背后装灯的透明画，引入了壮观的舞台效果，例如吕利（Lully）的《普洛塞庇涅》（*Prosperine*，1727 年）中的银纱瀑布；但直到他的《光学景观》（*spectacle d'optique*）于 1738 年在杜伊勒里宫（Tuileries）的机械大厅（Salle des Machines）内上演，他才创造出了一种运用机械和真人演员的声光表演的崭新样式（图 151）。

图 151　场景设计模型，年代不详，（被认为出自）乔瓦尼·尼科洛·塞尔万多尼。塞尔万多尼开始是一名主流剧场设计师，正是巴黎的全机械剧场的《光学景观》（始于 1738），让他开启了新的潮流，为后继者卢泰尔堡的《自然图景》奠定了基础。

塞尔万多尼最出色的追随者是阿尔萨斯的风景画家 P·J·德·卢泰尔堡（P. J. de Loutherbourg，1740—1812）。他于 1770 年代从巴黎移居到伦敦，为身兼演员、剧作家以及剧场经理的大卫·加里克（David Garrick）工作，任职于特鲁里街剧院（Drury Lane theatre）。1773 年在加里克的《圣诞故事》（*Christmas Tale*）中，卢泰尔堡利用薄纱制造雾景效果，这让他声名鹊起。他在塞尔万多尼式的现象剧目中引入了更多的自然主义（元素），包括《潘多拉》（*Pandora*，1739 年）中"地震、火山、火焰雨、崖崩、雷鸣、闪电等种种让宇宙陷入混乱的大自然的力量"。但是在色彩语境之中，卢泰尔堡最引人瞩目的是他的那部保留剧《自然图景》（*Eidophusikon*，英译：*The Picture of Nature*），该剧从 1781 年起在伦敦上演了许多年之后，由另一名经理带领，在英国的许多郡巡回演出，直至 1800 年毁于大火。《自然图景》呈现的自然现象惊人的逼真，例如天气的变幻效果，或是当时著名的沉船事件。1781 年开场表演的第一幕，展示了自格林威治沿泰晤士河下游曙光中的伦敦：

> 这一幕被笼罩在神秘的光线中，那是破晓的前兆，观众的想象与自然如此贴近，他们似乎可以嗅到黎明时温柔的微风。一丝微弱的光出现在地平线上，场景装点上了一抹朦胧的灰色；不多久，一缕藏红花色的光幻化出纯粹的色彩，微染蓬松的云层，飘散在晨雾中；画面逐步点亮，太阳出现了，为树梢镀上了金边，投射到高大的建筑物上，擦亮了圆顶上的风向标。

根据同时期材料记载，节目单上的表演能让观众看上整整一天，以月光和一场暴风雨作为收场，这些效果在不久之后就成为了浪漫的老套桥段，但在那时的英格兰却是鲜见新奇的。次年，卢泰尔堡在他的第二个项目中，以弥尔顿（Milton）笔下《失乐园》（*Paradise Lost*）中的一幅会动的地狱插画作为谢幕，展示了拔地而起的群魔殿（the Palace of Pandemonium），同样地，也伴随着戏剧性的色彩变化。一家报纸报道，"浓烈的红化作透亮的白，从而揭示了火焰遇到金属时的效果"。类似生动的记录，使得爱

图 152 德·卢泰尔堡的《自然图景》，约 1782 年，爱德华·伯尼。图像表述受限，不足以证明人们被多媒体娱乐唤起的期待和兴奋。画中的舞台正在上演的是弥尔顿的《失乐园》中的群魔殿场景，这一幕通常是卢泰尔堡表演中最激昂的高潮。

德华·伯尼（Edward Burney，1760—1848）这幅描绘终幕（图 152）的文雅静谧的水彩画像是一种令人扫兴的结尾。音乐伴奏（注意伯尼视角中的大键琴）有时由作曲家兼键盘乐器艺术大师迈克尔·阿恩（Michael Arne）亲自操刀，他也曾为加里克工作，但阿恩对于卢泰尔堡来说可能是个格外默契的合作伙伴，因为他俩在炼金术上兴趣相投。另一位伴奏家是极具名望的作曲家和音乐史学家查尔斯·伯尼博士（Dr Charles Burney），而其余部分的音乐由声乐家索菲娅·巴德利夫人（Mrs Sophia Baddeley）提供。

　　与文艺复兴艺术家的情况一样，卢泰尔堡的艺术活动也为私人赞助者服务。《自然图景》登上舞台的那一年，百万富翁小说家、收藏家威廉·贝克福德（William Beckford）请卢泰尔堡为其制作了一个装饰，以娱乐在圣诞期间来到他乡间邸宅威尔特郡的放山居（Fonthill Splendens）的客人。在之后的回忆录中，贝克福德回忆道：

> 看起来完全像是一个童话王国，或者说，更像是地球深处的一座恶魔之殿，卢泰尔堡用奇异的巫术似的光来笼罩场景，特意营造出惊人的神秘感……夏日的空气似乎在我们周围飘荡——悠扬悦耳的低音调和声持续舒缓我们的听觉，每一种感官知觉依次被迷惑，餐桌上摆满了美味佳肴，层层的垂褶帘幕遮盖着"魔宫院内"深处，香气扑鼻的鲜花借助于机械装置间隔地溜出来摇曳翩翩。

在某些方面，这与文艺复兴时期的奢华私人宴会有相似之处，但是卢泰尔堡的更受大众青睐的机械剧场更具有持久性，并经常被模仿：他的一位姓查普曼（Chapman）的后继者，于1799年在伦敦开演了《新自然图景》（*New Eidophusikon*），而后在伦敦这种类型的表演一直沿用这个名称，直到刚步入维多利亚时期的1837年末，此时电影已站稳了脚跟。在众多相互竞争的活动的景观中，卢泰尔堡的作品率先成功地表现了对某个地点或是某个建筑物的真实还原感。正是这些超凡的色彩效果营造的错觉艺术手法，令他们遭到了诸如康斯特布尔（Constable）这样的富有想象力的艺术家们的蔑视。

1820年代，更以其后的摄影发明而著名的法国媒体大师路易·达盖尔（Louis Daguerre），与画家查尔斯·布顿（Charles Bouton）一起研发透视画（diorama），这个装置与较早但有关联的娱乐性全景画相似，题材依仗人们关心的灾害话题：布顿与达盖尔的伦敦剧目表中的一例就是《1824年11月的爱丁堡大火》（*The Great Fire in Edinburgh, November 1824*）（图153）。在接下来的十年中，透纳以完全不同的风格，对这同一题材的感受品味进行了探索（图63）。达盖尔将他的演出规模扩大至全景模式，提升了真实性，并将吸引力延伸至其余感官，例如，在于巴黎上演的一个

图 153 《荷里路德教堂遗迹》（ *The Ruins of Holyrood Chapel* ），约 1842 年，路易·达盖尔。达盖尔的透视画依赖绝美的照明效果，这里，日光被变换成月光。该作品呈现了月光下的寂静，色调的准确性清晰地表明：当年的透视画达到了怎样的幻觉艺术效果的高点。

关于瑞士的透视画中，加入了一只山羊、一间三维的牧人小屋和阿尔卑斯长号角。1836年，布顿在巴黎的一个节目中有这样的一个场景：夕阳下的佛罗伦萨圣十字大教堂（Santa Croce）的内部，灯在浓重的黑暗中被点亮，管风琴正在演奏海顿（Haydn）的弥撒曲第一号（Mass No.1）中的慈悲经（Kyrie），礼拜钟的叮当声与焚香的气息弥漫在空气中。所有的这一切，除了试图创造纯粹的幻象之外，还为该世纪末的法国象征主义的多媒体戏剧表演奠定了基础。该透视画是如此的成功，从 1822 年至 1839 年（此时它也被一场火灾摧毁）一直在巴黎展出，而其伦敦的版本的展出时间则是 1823 年至 1851 年。

在 19 世纪，阿尔冈灯原理被沿用到气体照明上，与后来引入的电力相似，气体照明于 1849 年首先以弧光灯的形式出现在巴黎歌剧院，灯的亮度更强，最重要的是，可控的照明效果越发切实可行了，虽然在这些表演中，色彩发挥的作用仍然是次要的。然而在 1840 年代，第一台（机械）计算机的发明者，查尔斯·巴贝奇（Charles Babbage）建议搭建彩虹芭蕾舞台，采用四组石灰光灯与滤色片，在身着白色演出服的舞者身上投射重叠的光束，从而混合出不同色调。但因为持续存在的火灾风险，这一幕并没有上演。

正是复兴古典希腊戏剧（关于其舞台场景设置所知甚少）的想法，给予了多感官体验表演新的且具有决定性的推动，极具创新性的歌剧作曲家理查德·瓦格纳（Richard Wagner，1813—1883）在这方面做出了最积极的努力。瓦格纳戏剧改革中的新颖之处时常被夸大。例如，为了

图 154 "躺卧餐厅"（The Triclinium），出自胡莱斯·费拉里奥（Jules Ferrario）著写的《古今服饰》（*Le Costume ancien et modern*），约 1820 年。着色版画基于亚历山德罗·圣奎里科的舞台设计作品。

让灯光聚焦在舞台上而压暗礼堂，这一方式早在 1683 年的威尼斯圣·乔瓦尼·克里索斯托莫剧院（Teatro San Giovanni Crisostomo）中就得到了使用，而到了 19 世纪早期的意大利，俨然成为了一种普遍的手法。被视为标准的，则是米兰的斯卡拉大剧院（La Scala）1813 年上演的某个版本的贝多芬（Beethoven）作曲的芭蕾舞剧《普罗米修斯》（*Prometheus*，1801 年），剧中还附加了海顿的《创世纪》（*Creation*，1801 年）中的音乐片段，这被认为是瓦格纳的"总体艺术"（Gesamtkunstwerk，英译：total art work）的原始雏形。表演的场面由身兼舞者、舞蹈编剧的萨尔瓦多雷·维加诺（Salvatore Viganò）进行设计，舞台装置则由亚历山德罗·圣奎里科（Alessandro Sanquirico，1777/1780—1849）（图 154）完成。尽管这两位艺术家都享有盛誉，但他们的舞台场景却没有得到广泛认可。一位观众这样记录道：

> 夜晚的苍穹因云层而显得厚重，星星和行将落下的月亮渐渐变得苍白，舞台后方的天空变白了，星光褪去，随着背景画布缓缓变更，场景又变亮了，变成了粉色等……紧接着就是由机械操纵的天空运动景象，如诗如画。这里我们也可以看到，机械可以为戏剧做什么，而后者并非自发的，就像诗歌本体一样。原本会是平民百姓眼中成功的芭蕾舞剧，在有辨识力的观众看来，这一幕却是其主要的失误，他们知道，比起超凡的富有情感的诗人或具有行动力的画家，维加诺的水准更高。但普通人是无法同样地对此做出判断的，他们会当即宣称，这是西洋镜式的芭蕾场景。就其所投入的精力和花费来说，如果滥用到了一定的程度，《普罗米修斯》肯定也未能幸免，而机械是无法模仿星座或太阳的。提托诺斯（Tithon）出现了，驱走了黑暗，明亮之星路西法（Lucifer）驾驭着炽热的坐骑；曙光女神奥罗拉（Aurora）抛撒着花瓣；时序女神（Hours）荷莱在舞蹈；金发碧眼驾着战车的太阳神阿波罗（Apollo）头上闪烁着耀眼的光芒。缆索载着演员从舞台的一边到另一边，但除了一些细碎的云以外，没

图 155 舞台场景，年份不详，彼得罗·贡扎加。从 18 世纪到 19 世纪初，意大利舞台设计在业内占了主导地位，正是像贡扎加（主要在俄罗斯工作）这样的发现了新的用色方法的艺术家们，为舞台综合艺术增添了力量。

有任何东西用于掩饰缆索；悬吊在这些缆索上的羞怯的男孩们，无法适应表演要求的动作，他们骑在扁平的绘制道具马上，且马的四肢是固定的，所以也就是不断地在空中疾驰移动。太阳则像是一个装满了水的玻璃球，内有一个猛烈闪烁的光源。然而，并未产生足够的光亮来照亮整个场景，也未能营造出世上这个伟大星球之印象的效果。只有背景幕布是美丽的，太阳出现的时候闪耀着橙色，幕布后方灯火通明，透出夺目的光芒。海顿的音乐也具有魔幻的力量，来自《创世纪》的片段表达了光的创造。

舞台景观涉及多样化的习俗和多变的条件，如果想要与管弦乐队和舞蹈者保持和谐同步，就要求自身能有大胆的创新；该时期的另一位意大利设计师彼得罗·贡扎加（Pietro Gonzaga，1794—1877）则将信念注入了新的舞台绘画用色原理之中（图 155）。据一位当代的评论家观察：

在他达成他幸运的革新之前，场景看上去都是很乏味的，因为画家们都不用纯黑纯白去画，但却会在背景中过度地用黑色或别的方法来暗化每种颜色，导致着色显得死气沉沉。而贡扎加则想方设法避免这样的情况，他意识到灯光不仅会照亮舞台，还会照亮舞者不断扬起的尘埃以及转换场景的工作人员。鉴于舞台上的色彩需要自然的高光和明显的阴影，他开始使用纯白描绘，并尽可能深的黑色如灯黑（lamp-black）来标记阴影，他的前辈们认为这个颜色实在是太强烈了，并且，除了微细的地方他们也不喜欢使用纯色……除此之外，他仍然不用半色调，或尽可能地少用，因为当它们被飞扬的尘埃遮挡的时候，容易从整体上混淆着色效果，而对远距离呈现绘画色彩渐变的要求毫无益处。

因此，在 1800 年左右，至少有一位意大利场景画家，出于纯粹的实用主义的原因，决定换一种方法来用色，我们更容易在托马斯·库蒂尔（Thomas Couture，1815—1879）和他的学生爱德华·马奈（图 54）的作品中认出这种方法，他们的风格基于色调对比的简化以及未调黑色的大量使用。

然而，瓦格纳总体艺术的理论有着非凡的影响这一点是毋庸置疑的。他的开创性论文《未来艺术作品的纲要》（*Outlines of the Art Work of the Future*，1849 年），并列展示了管弦乐编曲的"多彩的和谐"——在该领域瓦格纳是一个伟大的创新者——和由风景画家负责的舞台装饰布置的"最出色的色彩混合"。但是，早在斯卡拉大剧院，瓦格纳的构想以及其实施结果都没有达到符合音乐水平的标准。他在视觉艺术上的品味完全是符合习俗的，而且在大多数情况下，雇用无名的自然主义设计师来设计繁琐乏味的场景，丝毫无助于激发听众对配乐的想象力。所以说，在瓦格纳特地筹建的著名的拜罗伊特节日剧院（Festival Theatre at Bayreuth）里，他要求一位宾客在演出过程中闭上眼睛，也就不足为奇了。不过在瓦格纳的剧院落成典礼上，礼堂漆黑一片显然只是因为煤气灯照明出了技术故障。1876 年，在拜罗伊特上演的首场《女武神》（Die Walküre）中，"女武神的骑行"（Ride of the Valkyries）的呈现是由电力来投射光线的。

　　尽管如此，基于瓦格纳，更确切地说是瓦格纳的作品，1900 年左右的戏剧革新者们力图削减舞台布置，并更多地依赖（电力）照明，用光线和色彩来匹配音乐的意境。例如，瑞士设计师阿道夫·阿皮亚（Adolphe Appia，1862—1928）（图 156）为瓦格纳的《帕西法尔》（Parsifal）设计了极端简约的舞台布景，尽管最终并没有投入使用。在法国象征主义者心目中，瓦格纳是具有标志性的英雄，他在 1880 年代的主要文字载体是《瓦格纳杂志》（La Révue Wagnérienne）；神智学者爱德华·许雷（douard Schuré）在他的书《伟大的受教者》（The Great Initiates，1889 年）中，将瓦格纳列在毕达哥拉斯、基督、佛陀之后。在神智学语境中，利德比特和贝赞特的《思想的形态》（Thought Forms，1905 年）认为瓦格纳的《名歌手》（Meistersingers）的序曲达到了不朽的高度，这件作品在教堂内的

图 156 "岩丘起伏的野外"（A wild rocky place），《女武神》第二幕舞台设计，1924 年，阿道夫·阿皮亚。

图157 "瓦格纳的《名歌手》序曲"，出自《思想的形态》，1905年，A. 贝赞特和C. W. 利德比特。书中，这座象征着声、光、色的巨大的山峦是有关音乐思维形态的最壮观的表达。很典型地，声音是由教堂管风琴发出的，对于超感视觉者来说是可见的，这与神智学研究项目相吻合。

一次演奏，营造了声和色的巨大的山峦（图157），每座山峰：

> 有着它自己耀眼的色调——五彩斑斓的生动色彩，闪耀着自身的生命之光，璀璨的光芒覆盖大地。而每种色块中都闪烁着其他的颜色，上色是在熔融的金属表面完成的，所以这些奇妙的星体大厦的熠熠闪烁，远远超出了任何有形文字所能描述的。

正是在法国的象征主义中，总体艺术作品这一理念才（简要地）粗具雏形。1891年于巴黎艺术剧院上演的《歌之歌》（The Song of Songs），首次且也许是最后一次，以一种完全协调的方式运用了色彩、音乐和香氛。开场场景装点成紫色，呈现了所罗门王（King of Solomon）与示巴女王（the Queen of Sheba）的会面，配乐是C大调和弦，香氛为焚香。之后的场景搭配了风信子的黄色、百合花的绿色等。诗人保尔·福尔（Paul Fort）回忆道，"投影根据场景交替变换着颜色，有节奏地伴随着不同程度的情

图 158 舞台布景插画，
亨里克·易卜生（Henrik
Ibsen）的《觊觎王位的
人》（*The Pretenders*）第
三幕第一场"主教之死"
（The Bishop's Death），
爱德华·戈登·克雷格。
在 20 世纪早期，阿皮亚
与克雷格占据了瓦格纳风
格舞台设计的先锋地位，
此时，自然主义布景已为
色光闪烁于简朴的三维形
状的舞台布置所取代。

图 159《爱德华·戈登·克
雷格》，1968 年，理
查德·史密斯（Richard
Smith）。理查德是英国
1960 年代的波普艺术领
袖之一，他为爱德华·戈
登·克雷格创作了整个系
列的平版画，展示了简朴
的着色形状，就像克雷格
的设计作品中的那样。这
些作品揭示了画家和舞台
设计师在色彩定义物理空
间能力方面的共同兴趣。

感变化，与此同时，所有芬芳的香气弥漫而出"。涌出的香气对于一些观众来说太过量，有些令人作呕，而这部作品只上演了很短的时间。

瓦格纳对早期抽象主义美学的形成也产生了影响。在 1909 年左右，康定斯基进行了轻背景配乐舞台作品的实验（见第五、第六章），他在青年时期，在莫斯科深受《罗恩格林》（*Lohengrin*）的影响，这场歌剧表演给予了他全新的色彩体验。正如他所回忆的："当时，小提琴、低音提琴的低沉音调，尤其是管乐器，让我感受到入夜前时光的能量。我看到了我心中所有的色彩，它们就出现在我眼前。"类似的，意大利抽象主义电影制片人阿纳尔多·金纳（Arnaldo Ginna）与布鲁诺·科拉（Bruno Corra）也非常熟悉许雷与《思想的形态》，他们在 1910 年的宣言《未来的艺术》（*The Art of the Future*）中很自然地引用到了瓦格纳的例子。

但是在这时，激进的戏剧已经变得远比瓦格纳在总体艺术中设想的更为理想化，至少在理论上如此。该时期最具独创性的设计师之一当属爱德华·戈登·克雷格（Edward Gordon Craig，1872—1966），他在 1891 年致信巴黎艺术剧院总监时提到：传统的绘制场景只单纯作为演出的背景，而"可以期待的是，布景能像声音那样移动，用与音乐同样的方式伴随并强化故事的展开，来体现剧情的不同阶段，恰似随着剧情一起演绎"。这个效果很大程度上是由照明实现的，在这个方面克雷格（图158）从他的继父，演员兼导演亨利·欧文（Henry Irving）那里学到了许多。早在 1870 年代，欧文就在伦敦的兰心剧院（Lyceum Theatre）使用了彩色灯光组合，"就像画家使用调色板那样"。"他将透明亮漆涂在石灰光灯的玻璃罩上，"一个同时代的人如是写道，"当电灯（于 1891 年）出现时，他在电灯的灯泡上上色，因此产生了色彩的效果，从而使其强度与精细度都上升到了前所未有的高度。"

类似的，俄罗斯导演费奥多尔·科米萨尔热夫斯基（Fyodor Komissarzhevsky）在自传中也写到："音乐的节奏必须与语言的节奏、演员动作的节奏、布景和戏装的色彩和线条的节奏，以及不断变化的灯光的节奏协调一致。"不

图160 《研究洛伊·富勒》(Study for Loïe Fuller),1893年,亨利·德·图卢兹—洛特雷克。1900年左右,洛伊·富勒在法国卡巴莱歌舞表演届轰动一时,图卢兹—洛特雷克就是被这位美国舞蹈家深深吸引的诸多艺术家中的一位。洛特雷克在这幅图像中,传达了轻盈飘逸的感觉以及光线的存在感,这两者就是富勒舞蹈动作的主要特征。此作有许多变异的版本。

过,这种要让舞台表演所有的元素完全交织在一起的想法依旧还只是个梦想,然而,19世纪后期心理学的迅速发展与技术扩张却照亮了这个梦想。我们看到实验心理学家们一直在探究色彩与动作之间的关系,尤其是1880年代的查尔斯·弗雷(Charles Feré)和修拉的朋友查尔斯·亨利(Charles Henry),他们探究的方向很快就在表演中得到了体现。科米萨尔热夫斯基或许一直在思考着在俄罗斯时期的康定斯基,比如在第一次世界大战期间,康定斯基与舞蹈家亚历山大·萨哈罗夫(Alexander Sacharoff)合作,将自己的水彩画作品转化为舞蹈表演。这些实验作品都是私下完成的,鲜为人知。但是金纳与科拉却使人们关注到了洛伊·富勒(Loïe Fuller)所带来的重大影响。富勒出生于美国,是当时最著名的法国卡巴莱歌舞表演艺术家,在一部早期自传(1908年)中,她也谈及舞台照明的变化如何在不知不觉中引发她舞蹈动作的变化。富勒的舞蹈动作惊艳了法国文艺界的一整代人，约有 70 来位艺术家为她绘制肖像，其中包括奥古斯特·罗丹（Auguste Rodin，1840—1917）和亨利·德·图卢兹−洛特雷克（Henri de Toulouse-Lautrec，1864—1901）（图 160）。1893 年，评论家罗杰·马克思（Roger Marx）对她那场在黑暗舞台上的演出给出了这样生动的描述：

> 今夜，幻影逃脱了，它在电光束的爱抚之下，成形复苏。她将自己从暗淡的背景中分离出来，呈现出钻石般耀眼的白，顷刻，身上覆盖的色彩好似装满贵重宝石的珠宝盒般缤纷……（她的戏装）面料炫目纷飞，先后染上了彩虹的所有色调；场景前所未有地如此华丽、如此神奇，观者如痴似醉，仿佛下一秒她就会消失，遁入虚无，再次消失在黑暗之中。

如同图卢兹−洛特雷克的画作和不可胜数的新艺术主义（Art Nouveau）铜像所展示的，富勒夸张的装饰织物标志着她的个性，在著名舞蹈表演《尼罗河的百合》（*The Lily of the Nile*）中，她身着约五百平方米的薄纱，在舞蹈过程中，薄纱展开到离身体三米多的距离。马克思的描述则更为明确，表演的舞台照明也是使表演化作神奇的一个原因。1880 年左右，托马斯·阿尔瓦·爱迪生（Thomas Alva Edison）发明的白炽灯泡得到了进一步发展，赋予了电灯光源极大的灵活机动性。富勒根据不同的舞蹈，设计了她自己的照明设备，有十至二十盏灯不等、一个带旋转彩色滤镜的灯箱，和一个用于光束调色的双灯。她还采用了玻璃地板，从下往上打光。象征主义作家 J. K. 于斯曼（J. K. Huysmans）则是为数不多的未被打动的观众之一，关于富勒的荣光，他这样说，"应归功于电工。这是很美国式的"。但是对于我们来说，洛伊·富勒是诸如田中敦子（Atsuko Tanaka）（图 192）这样的现代高科技表演艺术家的直接先导。

通　感

洛伊·富勒辉煌的职业生涯也许是由新科技造就的，但如她就灯

光与舞蹈动作的评论所表明的，她很幸运能与最早期的实验心理学不谋
而合，正如我们所知的，后者将色彩偏好与感知带入视觉美学的讨论中
心。可能是有史以来第一次，诗人和艺术家成了科学探究感兴趣的课
题，而在新心理学的活跃领域——关于通感（两个或更多个感官对相同
刺激同时做出的响应）的研究——他们属于对通感现象最善于表达的有
力证人。最常见且被研究得最多的通感类型是"音色通感"（"coloured
hearing"，法语：audition colorée），如法国心理学家阿尔弗雷德·比奈（Alfred
Binet）在1892年提到："虽然医生更愿意把音色通感看作只是一种感官
知觉间的干扰，但文艺界人士则相信他们从中发现了一种新的艺术形式。"

又是康定斯基，他针对通感体验给出了最全面且最有说服力的说明，
虽然他偶尔被认为是伪通感者，因为无法确定他对同种刺激的多重响应
是否是自然而然的。在他1911年的宣言中，康定斯基参与了关于色彩
对感官的影响是直接的还是通过联想的这样的一场辩论，"人们也许会这
样假设，例如，通过与柠檬的类比，来解释明亮的黄色会产生酸的效果"，
他这样写道：

> 然而，要坚持这种解释几乎是不可能的。就品尝色彩而言，该
> 解释在很多例子中都不成立。一位来自德累斯顿的医生认为他的一
> 位病人"在精神层面异乎寻常地高度发达"，总是觉得某种酱料有"蓝
> 色"的味道，也就是说带给他的感觉如同蓝色一样……就这一例高
> 度发达的人而言，直达他心灵的路径如此直接，且内心感受到的印
> 象产生得又如此迅速，使得直接与心灵沟通的一种效应，经由味觉
> 媒介，沿相应的路径离开心灵，与其他感官（此例中是眼睛）产生
> 共鸣。这种效应类似于某种回声或共振，以乐器为例，乐器在未被
> 弹奏的情况下，也会与其他演奏中的乐器产生共鸣……如果接受这
> 样的解释，那么不可否认，视觉不仅与味觉、还与其他所有感觉有
> 关联。情况的确如此。许多色彩拥有不一致的、易激的表象，而一
> 些颜色给人的感觉则是柔顺的，如同天鹅绒般，让人想抚摸它们（深

群青、氧化铬绿、茜草色）。即使是冷暖色调之间的区别也是取决于这种感觉。也有看上去柔软（茜草色）的色彩，而另一些色彩则给人以坚硬的印象（钴绿、氧化蓝绿），以至于刚从颜料管中挤出的颜料会被误认为是干了的。

"色彩的气味"这一表达也是常用的。

最后，我们对色彩的听觉联感是如此精确，以至于也许根本找不到什么人能用钢琴的低音音域来表示他对亮黄色的印象，或是用女高音的嗓音来描述深茜草色。

至此，除了嗅觉之外所有的感官都已涉及，对于康定斯基来说，音乐类比是核心，而且在他的书中，他提到了最近的尝试——将色彩和音乐融合成一种单一的、不可分割的艺术作品。由于反复出现的技术故障，早期俄罗斯版的亚历山大·斯克里亚宾（Alexander Scriabin）《第 60 号作品：普罗米修斯：火之诗》（*Opus 60: Prometheus : A Poem of Fire*）（1910—1911 年），到 1915 年才以其完整的形式在纽约首演。斯克里亚宾的早期素描大多数后来都遗弃了，在其中的一件作品中，他曾设想他的观众，类似于查尔斯·弗雷的神经官能症病人，沐浴在彩色的光线中；在其他的一些素描中，像康定斯基预测的那样，舞者会模拟表演色彩的变幻。在表演现场，只装载了一套色彩键盘，如同钢琴弹奏那样地，产生的作用却是将彩色光线投射在多个幕布上。在后期的一部未完成的作品《奥秘》（*Mysterium*）中，斯克里亚宾曾计划将气味加入到表演涉及的感官范围中。对于俄国的象征主义而言，东正教会的传统仪式以及更为现代的神智学，都起到了塑造作用。而对于斯克里亚宾来说，如同对于古代和中世纪的音乐理论家那样，唤起道德情感是必要的，现时代的心理学又使得将色彩精确地与这些想法联系在一起成为可能。他将"创造力"与蓝色和紫罗兰，以及与 E 调、降 C 调、降 G 调和降 D 调相关联；将"人性"与降 E 调关联；将"激情"与降 B 调，不足为奇地与人类皮肤的粉红色相关联。

斯克里亚宾曾使用一种（并不太理想的）源自 18 世纪法国乐器类型的色彩管风琴，来举例说明上文中的色彩—音符的应和，热爱 C. W. 格鲁克音乐的德拉克洛瓦，从德国作曲家、作家 E. T. A. 霍夫曼的一则故事中得到灵感，以粉彩画的形式微妙地描绘了一幅插画（图 161）。这则短短的故事在 1829 年被译成法语，在那时霍夫曼描写的离奇故事已经开始在法国流行起来。故事的主人公在 1809 年柏林的格鲁克音乐会上，遇到了一位陌生的古板绅士。这位绅士展示出对格鲁克作品惊人的熟谙程度，并且能够轻易地哼出作品的华丽的变奏。他与主人公之间建立了友谊，最终这位老者向主人公披露了自己的梦境，包括一场噩梦，其间他受到了一个怪物的攻击，怪物带他坠入深深的海底，而后又携他飞入夜空。点亮黑暗的是光束，也是清澈的音符："我从折磨中醒来，看见一个巨大的、明亮的眼睛，正望着一架管风琴，在它的注视下，闪闪发光的音符们出现并相互交织成了我从未想到过的美妙旋律。"

图 161 《拨弦古钢琴前的格鲁克》（ *Gluck at the Harpsichord*)，1831 年，欧仁·德拉克洛瓦。图示为 E. T. A. 霍夫曼（E. T. A. Hoffmann, 1776—1822）短篇小说的插画，展现的是作曲家 C. W. 格鲁克（C. W. Gluck, 1714—1787）的幽灵照着空白乐谱在弹奏，而乐谱正是光源所在。这可能是关于通感体验的最早的插画。

后来，主人公被带到了老者的公寓，在一个装饰风格陈旧的房间内，摆放着格鲁克作品乐谱的书架和一架拨弦古钢琴。老者从架子上取下了格鲁克最后创作的一部歌剧《阿尔米达》（*Armida*，1779 年）的乐谱，充满感情地弹奏起来，他面色泛红，又加入了许多即兴发挥的部分。德拉克洛瓦的插画描绘了那个瞬间，主人公看到乐谱实际上是完全空白的，却成为了光源，照亮了音乐家那张兴奋的脸。当然，老者就是在二十年前就去世的格鲁克本人。这也许是最早的通感体验的图解，而且值得注意的是，早在 1831 年，德拉克洛瓦就如此富有想象力地关注到听觉与视觉之间的联系，后来他与肖邦的友谊更是加强了他的这一想法。德拉克洛瓦热爱格鲁克的音乐并根据他的歌剧绘制了一些主题作品；恰巧，正是格鲁克的《俄耳甫斯与欧里狄克》（*Orpheus and Euridice*），在 1919 年哥德堡（Gothenburg）出品的版本中，瑞典导演佩尔·林德伯格（Per Lindberg）采用了复杂的象征性的光线乐谱。例如，在第二幕中，复仇女神（Furies）的出场用红色表示，俄耳甫斯则用蓝色，所以"红与蓝之间存在着某种争斗"。影响德拉克洛瓦最大的一位评论家——诗人夏尔·波德莱尔（Charles Baudelaire，1821—1867），是法国象征主义的领袖（E. T. A. 霍夫曼则是始祖）。在他的诗作《应和》（*Correspondances*）中，他提出了香水、色彩以及声音之间的通感关系，并使之成为了 19 世纪末美学的议题。在另一首诗《灯塔》（*Les Phares*）中，波德莱尔把德拉克洛瓦的画作描述成"邪恶天使出没的血的湖泊"，他将这位最具浪漫主义色彩的画家与另一位德国作曲家——并非新古典主义的格鲁克而是浪漫主义的卡尔·马利亚·冯·韦伯（Carl Maria von Weber，1786—1826）相比较。

19 世纪晚期与 20 世纪早期见证了大量采用电力照明的彩色钢琴（图 162）和风琴，但是技术问题与高昂的成本决定了其不可能成为一种艺术媒介，或发展成一种前后连贯的审美表达。第二次世界大战后，激光、录像视频和数字技术的出现让这类繁琐的早期试验变得陈旧过时。然而，正如由金纳、科拉以及未来主义之父作家菲利波·托马索·马里内

图 162 《色—乐表演》（*Colour–Musical Performance*，依照马提亚斯·霍尔（Matthias Holl）的一幅水彩画而作），出自亚历山大·拉斯洛（Alexander László）的《色—光音乐》（*Colour–Light Music*，德语原文：*Die Farblichtmusik*），1925 年，亚历山大·拉斯洛。也许是 1920 至 1930 年代在欧洲进行巡演的最知名的钢琴演奏家，他将彩色灯光秀引入了表演中。当时正值色彩音乐的鼎盛时期，第二次世界大战后，这成为了流行音乐会几乎是仅存的元素。威廉·奥斯特瓦尔德（图 78）对色彩音乐也很感兴趣，而拉斯洛正是采用了奥氏的系统，建立了音符与色彩之间的对应关系，并且囊括了奥斯特瓦尔德的八阶灰度。不过他的色彩伴奏是由画家马提亚斯·霍尔设计的。

蒂（Filippo Tommaso Marinetti）和画家贾科莫·巴拉（Giacomo Balla）共同签署的 1916 年意大利《未来主义电影》（*Futurist Cinema*）宣言所声明的，"色彩的乐章"将在电影的发展过程中发挥重大的作用，而电影注定成为新时代最为重要的新媒体。

电影中的色彩

科技的局限性一如既往地抑制了早期电影的色彩引入。金纳和科拉手工绘制了他们第一部抽象作品的胶片，更早期的长片电影制作人乔治·梅里爱（Georges Melies）也是这么做的，他的《月球旅行记》（*Voyage to the Moon*，1902 年）等幻想作品备受超现实主义艺术家们的推崇。阿诺德·勋伯格（Arnold Schoenberg）也希望他的歌剧作品《幸运之手》（*Die Glückliche Hand*，1910—1913 年）的电影，能由康定斯基，或是由更靠近他家乡的维也纳舞台设计师阿尔弗雷德·罗勒（Alfred Roller）进行手工上色。然而该项目从未得到实现。直到 1930 年代，着色电影胶片的创新方法的问世——1934 年的杜菲彩色胶片（Dufaycolor）和盖思帕彩色胶片（Gasparcolor），1935 年的柯达彩色胶片（Kodachrome），1936 年的爱克发彩色胶片（Agfacolor）[尽管彩色电影公司（Technicolor Motion Picture Corporation）早在 1915 年成立，并在 1920 年代就取得了一些成功]，才使得彩色电影的拍摄成为可能。在早期，电影制作的经济模式，使得彩色成为了美国流行音乐片和卡通片几近独享的领域，前者如《绿野仙踪》（*The Wizard of Oz*，1939 年），后者如翌年的华特·迪士尼（Walt Disney）的《幻想曲》（*Fantasia*）。《幻想曲》因迪士尼邀请匈牙利构成主义艺术家、前包豪斯教师拉斯洛·莫霍里–纳吉（Liszlo Moholy-Nagy）设计片中的抽象（图形）片段而著称，虽然最终发行的版本中减掉了这些部分。

在流行电影中，色彩（趋势）从未倒退，在近几年，甚至一些老的黑白电影采用电脑“上色”修复，从而焕发新生。不过，雄心勃勃的艺术片导演仍不愿放弃黑白电影。如果色彩是必要的，那也不会是美式的色彩。第二次世界大战结束后，为数不多导演在其职业生涯的末期进军彩色电影，谢尔盖·爱森斯坦（Sergei Eisenstein）就是其中的一位，他在 1940 年的《电影导演笔记》（*Notes of a Film Director*）中写道：“色彩在电影中的使命，并非如我们在技术完美纯熟的美国电影中看到的那样。”

爱森斯坦毕生钟爱色彩，在色彩方面的撰文几乎与他的同胞康定斯基一样多。爱森斯坦早在 1910 年或 1912 年，在波罗的海海滨的里加观

图 163（上）《伊凡雷帝 II》（*Ivan the Terrible, Part II*）剧照，出自红色篇章，1946—1958 年，谢尔盖·爱森斯坦。

图 164（下）《伊凡雷帝 II》剧照，出自蓝色篇章，1946—1958 年，谢尔盖·爱森斯坦。正是因为从德国占领区意外获得一些爱克发彩色电影胶片，爱森斯坦才得以将色彩引入他的这部史诗级巨作中。即使在这里，色彩的使用也是谨慎且象征性的，红色暗示鲜血和谋杀，蓝色则暗示了英雄主义。

看了他所称的"自然着色"的纪录片，留下了深刻的印象。然而他本人在彩色胶片的应用上却被问题所困扰。1939年的一部有关苏联运河建设的彩色纪录片，在拍摄第一天，就因当局的命令被神秘地叫停了。一部讲述诗人普希金（Pushkin）的生平的电影，以更为彻底的方式应用了色彩，却因为技术瑕疵而从未得以发行。在第二次世界大战中，红军把爱克发库存胶片当做战利品从德国带了回来，此前爱森斯坦未能够找到一种合适的彩色胶片。他在《伊凡雷帝Ⅱ》（*Part II of Ivan the Terrible*，拍摄于1946年，发行于1958年）中使用了这种碰巧获得的新型的资源，然而正是在他对于这部影片的评论中，有一条明确指出了黑白胶片的美好之处："传统的黑、灰、白有着最丰富的质感表现，体现不同的材料和织物，从质地、类型多样的锦缎散发出的金属般的光泽，到轻柔的皮草，如貂、狐狸、狼和熊的毛皮，涵盖了整个阴影范围；棕色代表着磨损，而白色则用于表现地毯和床罩。"在爱森斯坦的电影制作经历中，"色彩并非一个听话的仆人……它是一个可怕且野蛮的暴君，要求如此大量的光线，以至于会破坏演员的戏服，融化他们的妆容；它是一个无赖，拧干了色彩创意的核心源泉；它是一个俗物，践踏着（人们）对色彩的认知；它是一个懒汉，连百分之一的（人们）对于色彩的构思、幻想以及迸发的想象的效果都无法获得"。

在《伊凡雷帝》中，色彩主要局限于红色、黑色和蓝色，而这些都是用于强化表达（图163，164）。在舞蹈场景中：

> 起初，所有的色彩主题是捆绑成结的。随后，渐渐梳理出了红色主题，而后是黑色，再是蓝色。重要的是，它们脱离了原本的与物体之间的联想。假设红色主题始于红色的袖子；又以蜡烛的红色背景得到重现；而当弗拉基米尔·安德烈耶维奇（Vladimir Andreyevich）去世时，红色的地毯再次呼应了主题……你需要疏远自己与各种红色物品之间的距离，根据它们共同的特征来理解它们的"红"的总体意义……在弗拉基米尔·安德烈耶维奇被谋杀后，

图 165 《艳贼》剧照，1964 年，阿尔弗雷德·希区柯克。希区柯克和爱森斯坦一样，对色彩的象征意义有着浓厚的兴趣。

> 我希望在黑白的部分中出现鲜红的血滴，但（助理导演）就不赞成，
> 说那样是形式主义。

自十月革命开始之前，形式主义就是俄罗斯文学美学中的一个主要部分，后来，被苏联当局指责为"资产阶级的"。但在《伊凡雷帝》的拍摄过程中，形式主义在一些决策中扮演了重要的角色。例如，爱森斯坦想让沙皇身着黑色与金色，这一传统是从"黑白摄影中流传下来的"，但由于色调不合适，他转而使用了红色。

即使是在好莱坞，专横的著名导演阿尔弗雷德·希区柯克（Alfred Hitchcock，1899—1980）也无法抗拒某些明星，以格蕾丝·凯莉（Grace Kelly）为例，她在《电话谋杀案》（*Dial M for Murder*，1954 年）中接听那通致命的电话时，穿着一件薄薄的睡衣——脆弱的象征——而非红色的衣装。就像爱森斯坦，希区柯克无疑渴望利用红色的概念化的、象征性的力量：在《艳贼》（*Marnie*，1964 年）中，红色的鲜血、红色的唐菖蒲、猩红的猎装和红色的墨水，构成了女主角恐惧症的主导旋律；在早期制作阶段，有一个场景中即便是女主角的头发也被设想为红色，最终版本中变成了金发（图 165）。希区柯克同样使用褪色效果表现倒叙内容，而更近期的导演以及广告业却常常使用黑白效果。

爱森斯坦认为，色彩应起到一种类似于音乐配乐的作用——就像普罗科菲耶夫（Prokoviev）为《伊万雷帝》谱曲的那样：色彩应该是音符的"一种精准的复制"，并"为事件添加情感色彩"。他知晓瓦格纳的理论和斯克里亚宾的做法，事实上，在 1940 年执导波修瓦剧院（Bolshoi）制作的瓦格纳的作品《女武神》之时，也正是他计划在电影中详细使用色彩的时候。尽管还是受到技术限制，他仍然觉得自己已有效地将瓦格纳乐曲中的元素与彩色灯光的变幻效果结合在了一起。以终曲《魔术火》（*Magic Fire*）为例，他安排瓦格纳为术士洛格（wizard Loge）谱写的主乐调"像穿过紫色火焰出来的一根蓝线"那样。

对于爱森斯坦来说，色彩往更具有表现力的方向发展，必须变得更

抽象，而其难度要比配乐大得多。

"橙色"的概念（必须）要与一只橙子的颜色分离开，这必须在色彩成为一种有意受控的表达和印象方法体系的一部分之前达成。在我们学会区分三个放在一块草皮上的橙子与三个放在草坪里的物体，或是三块放在绿色背景前的橙色块之前，我们不敢去思考色彩的构成。

因为除非我们发展出那个能力，否则我们就无法在这些橙子与那两只漂浮在清澈的蓝绿色水面上的橙色浮标之间，建立起色彩构

图 166 《哀悼者和安德斯·艾克在逝者床前》（*The Mourners and Anders Ek at the Deathbed*），《呼喊与细语》剧照，1972 年，英格玛·伯格曼。

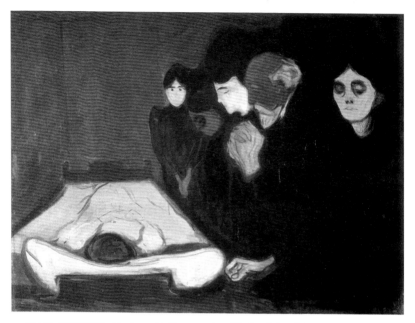

图 167 《在灵床旁》（*By the Deathbed*），1895 年，爱德华·蒙克。伯格曼在《呼喊与细语》中以一种全局式的象征主义手法来运用红色，而影片的分镜头设计主要沿用了蒙克早期作品中的灵床场景，尽管如此，其中的红色也许可以用绿色取代。

成上的联系。

爱森斯坦的电影作品很少，但是相较其他导演来说，他有关电影，以及有关色彩的撰文却很多，而且是 20 世纪上半叶最有影响力的电影理论家之一。英格玛·伯格曼（Ingmar Bergman，生于 1918 年），是与爱森斯坦处理色彩的手法颇为相似的后期导演之一，而且他也从事过多年的戏剧工作。伯格曼最杰出的彩色影片是《呼喊与细语》（*Cries and Whispers*，1972 年），正如他所说，"一切都是红色的"。在影片中，每一个场景都以渐变为红色的方式淡出。"我所有的电影作品都能够看作是黑白片，除了《呼喊与细语》，"伯格曼这样写道，"在剧本中，我提到我把红色当作是灵魂深处的颜色。当我还是一个孩子时，我把灵魂看作是神出鬼没的飞龙，如烟般的青蓝，盘旋着像一个长有巨翼的生物，一半是鸟，一半是鱼。但是这条龙内部的一切都是红色的。"

正如爱森斯坦准备每一个镜头都会画许多草图，伯格曼和他的摄影师斯文·尼科维斯特（Sven Nykvist）在拍摄《呼喊与细语》前，测试了布景和戏装的每一个环节，"不仅仅是化妆、发型和服饰，还有每一个道具、墙纸、装潢品，以及每一寸地毯。一切都细致入微地把控"。爱森斯坦通过研究俄罗斯的圣像画和壁画来构建他的色彩，而伯格曼则依据蒙克的灵床场景来建立《呼喊与细语》中的色彩构成（图166，167）。蒙克本人也曾在1890年代设计戏剧舞台，从他那个时期的近半打病房场景中，我们能够感受到的戏剧性张力堪比斯特林堡（Strindberg）或梅特林克（Maeterlinck）笔下的作品，角色常常与其说在与其他角色互动，不如说直接在与观众沟通。我们在第二章中看到蒙克对于色彩的象征意义没有固定的看法，在他那些画作中占主导地位的色彩可能是绿色也可能是红色；但是在《呼喊与细语》中，在营造剧中难耐的幽闭恐惧症以及血腥暴力方面，红色担负了主要的使命，像爱森斯坦一样，伯格曼把红色当作是血的原型符号。

但是20世纪中期极具创意的电影色彩主义者让−吕克·戈达尔（Jean-Luc Godard，生于1930年）却不这么认为。在一次有关他的电影《狂人皮埃罗》（*Pierrot le fou*，1965年）（图168）的采访中，戈达尔反驳了那位指出电影中有大量鲜血的镜头的采访者。"不是鲜血，"戈达尔说道，"而是红色。"据戈达尔所说，《狂人皮埃罗》把色彩当作其主要属性之一，存在些许类似波普艺术的艳俗浮夸，这是他像艾森斯坦那样更为抽象地使用色彩的一次尝试。费迪南（Ferdinand，让−保罗·贝尔蒙多饰演）在影片的最后一个场景中用红、黄、蓝色的炸药把自己炸飞，创造意义的正是家喻户晓的三原色——所有色彩之源。否定是广义的。戈达尔的导演风格与爱森斯坦以及伯格曼的也并不相去甚远。虽然他与另两位一样曾是一名画家，但他并非是有着传统学院训练背景的画家，而是1960年代的一名即兴画家："大多数画面都是在拍摄之前从我脑袋里蹦出来的。我工作不做笔记，像画家一样。对于安东尼奥尼，色彩似乎都在摄影机

图168《狂人皮埃罗》剧照，1965年，让－吕克·戈达尔。戈达尔否认这部色彩华丽的影片涉及任何象征主义议题，然而具有冲击力的结尾中的彩色炸药管也象征着毁灭，包括色彩世界的毁灭。

里；而对于我，色彩就在摄影机前。"然而，在摄影机前的到底是什么，这需要安排，所以戈达尔的抽象概念远不像他形容的那样随意。《狂人皮埃罗》中车内的桥段，挡风玻璃反射的灯光闪烁而过，此处是这部影片中最具绘画特点的场景，戈达尔这样评论："当你在巴黎的夜间驾车飞驰，你会看到什么？红色、绿色、黄色的灯。我想展现这些元素，但并不是非得像在现实中那样去安排。而像留在记忆中的那样：红色和绿色的色斑，闪烁而过的黄色光线。我想要通过其构成元素来再现一种感官感受。"纯粹来自色彩的感受。

在电影中，色彩持续地以多样且富有冲击力的方式被运用，但是像乐谱一样，大多数情况下这很难为人所知。影迷们眼中通常有着别的更重要东西。除了电影，色彩元素在多媒体作品中也鲜有占主导的，除了极少数例外，如特里·弗拉克斯顿（Terry Flaxton）的《色彩神话》（*Colour Myths*，1991 年由英国伦敦录像艺术协会发行）。在电视屏幕上，色彩调整对于观众来说易如反掌，也许正是这样，使得这种媒介成为了社区艺术的一部分。自由在贬值。通过热成像摄像机形成的激烈且奇异的色彩，将抽象与现实紧密联系起来，在虚拟现实程序中用新表现主义的方式使用色彩来还原"真实"的概念，例如丹·桑丁（Dan Sandin）的《山洞》（*CAVE*）（图 169），意在给予观看者"身临其境"的感觉。色彩可资利用，但也未必被运用。电影理论多年来一直专注于黑白电影。为了帮助理解缘由，在最后的一章中我们将探讨，在许多时期和许多文化背景下，色彩是以何种方式成为体验中令人不安的元素的。

图 169 环境风景，出自《山洞》，1991 年，丹·桑丁。在虚拟现实新的研发中，色彩运用通常是高度抽象的。

第八章　色彩麻烦

　　本书中讲述的故事到目前为止，多数部分，都是令人愉悦且最有说服力的视觉来源，然而我将以颇为不同的、较为严肃的方式来做总结。正如艺术家兼作家大卫·巴彻勒（David Batchelor）在《恐色症》（*Chromophobia*，2000 年）这篇文章里，讨论了欧洲社会反复出现的对色彩的不信任，认为色彩是纯装饰性的、东方的、女性化的，尾篇写了"易染性"（chromophilia），所以本书也必须留出篇幅来探讨东西方社会许多艺术家所感受到的不安——对色彩的一种热爱会将艺术带到装潢、装饰品和媚俗的窠臼中去。巴彻勒的研究始于现代建筑中的白色立方体，正是白色立方体的宣传者勒·柯布西耶（Le Corbusier），在他早期还以画家夏尔—爱德华·让纳雷（Charles-Édouard Jeanneret，1887—1965）自居时，与他的画家朋友阿梅代·奥藏方（Amédée Ozenfant，1886—1966）（图 170）一起于 1920 年构建了纯色彩的理念，将色彩用三个衡量尺度来归类。

　　第一类为主色彩，包括黑、白、土黄、红，以及相当令人惊讶的群青蓝。这是结构性的衡量尺度,建立起体量,米开朗基罗、伦勃朗、埃尔·格列柯、德拉克洛瓦和雷诺阿都曾使用且巩固了它，这些画家都致力于统

图 170 《白罐》（ *Le Pot Blanc* ），1925 年，阿梅代·奥藏方。

一的色彩构成。第二个衡量尺度为动态尺度：柠檬黄、铬黄、镉橙、朱红、翠绿和浅钴蓝，都被"本地"的色彩大师例如拉斐尔和安格尔使用过，"它们是干扰元素"。最后的衡量尺度属于纯着色色彩：茜草色和胭脂红以及维罗纳绿，均不具有结构性功能。让纳雷和奥藏方说过，油画呼应了文艺复兴时期倡导的 disegno [（意大利语）：素描]，不能没有色彩，但是"让我们把颜料管带来的感官上的欢愉留给染衣工们吧"。我们已了解到，这些"感官上的欢愉"在 1960 年代的阿尔曼心中最为重要，他的一些艺术作品就仅表现了色彩颜料管（图 98）。

然而，当奥藏方 1930 年代在英格兰转而从事室内装饰的时候，他欣然地利用了亮色的空间效果（图 171），将自己工作的基础建立在奥斯特瓦尔德的色彩系统上。他跟许多现代画家一样，随着职业生涯由柔和的色彩转为使用明亮且多样的配色，巴勃罗·毕加索（Pablo Picasso，

图 171 《客厅 / 色彩实验室的窗帘布置设计图》（Plan Diagram of Curtain Arrangements for Living Room/Colour Laboratory），1937 年，阿梅代·奥藏方，出自《建筑评论》（Architectural Review），第 81 号，1937 年 1 月。奥藏方与纯粹主义的创始人 C. E. 让纳雷，也就是勒·柯布西耶，以《白罐》（图 170）例示了纯粹主义美学那种简洁的平面和柔和的低饱和度的色彩。在 1930 年代的英国，作为一个室内设计师，他摒弃了这种配色而主张使用装饰性尺度的明亮、清晰的色彩，并把先前的作品贬低为没有构建的力量。

图 172（左）《我的美人》（Ma Jolie），1911—1912 年，巴勃罗·毕加索。

图 173（右）《镜前少女》（Girl before a Mirror），1932 年，巴勃罗·毕加索。毕加索是阶段性改变配色的众多现代画家中的一位，该作品体现他从分析立体主义（Analytical Cubist）时期的几近单色转到 1920 年代末至 1930 年代初的几近花哨的配色。

1881—1973）也是另一个范例（图 172，173）。然而与此逆向的运动，即从鲜明的色彩转为禁欲的消色，也随之而来，特别是在纽约，多位1950 年代的色彩画家在随后的数十年里转变为使用黑、白、灰以及暗褐色的单色。弗兰克·斯特拉（Frank Stella）在作品《贾斯珀的困境》（*Jasper's Dilemma*，1962—1963 年）（图 174，175）中，同时采用了一组彩色配色和一组消色配色，对贾斯珀·琼斯（Jasper Johns）的工作做了讽刺性的评论。在神经学家奥利弗·萨克斯（Oliver Sacks）记录的关于抽象画

图 174（上二图）《贾斯珀的困境》，1962—1963 年，弗兰克·斯特拉。

图 175（左）《灰色数字》（*Grey Numbers*），1958 年，贾斯珀·琼斯。琼斯无生气的灰色系列激发了斯特拉创作出那些温和的讽刺作品。

家乔纳森·I（Johnathan I.）的故事中，最令人感慨的部分是：乔纳森在一次意外中失去了辨识色彩的能力，之后他继续画画，这次事故导致的后果是他的新作品都是黑白的，然而这些作品在纽约大获好评，被视作是他职业生涯的一个新阶段。

乔纳森·I的视觉的变迁，起初给他带来了很大的焦虑，然而众所周知先天性色盲属于一种不算严重的人体功能残疾而常常被忽视。况且，黑白图片和黑白摄影长期以来无疑被视为能够充分地表达世界甚至绘画的方式。这个故事可以简单地被看作是个例子，表明了相对于颜色来说，轮廓和对比度在认知过程中起到的作用更大，在文艺复兴时期，这一观点正是推崇素描（disegno）的原因——为了模仿大自然和古代艺术。在17世纪，罗马的风景画家们使用了后来被称为克劳德镜（Claude Glass）（虽然克劳德本人似乎没有使用过）的黑色镜子，以过滤景物中反射的色彩来帮助画家，主要是北方的艺术家们，专注于处理调子之间的关系。与此同时，正是在欧洲北部，蚀刻版画（etching）得到了发展，尤其是在伦勃朗的推动下，形成了一种很大程度上依靠明暗对照（chiaroscuro）的绘画技术，新发明的网线铜版（mezzotint）技术则把单色"色彩"的新概念带入了版画艺术。但是反色彩主义的内容远远超过这些，正是在古罗马，色彩限制首次作为道德理念被清楚地阐述。老普林尼用一种熟悉的罗马式的口吻这样议论道：

> 阿佩利斯（Apelles）、阿提翁（Aetion）、墨兰提俄斯（Melanthius）和尼科马库斯（Nikomachus）在他们不朽的作品中只用了四种颜色（白、黑、红、黄）……那些杰出艺术家的作品价值连城，然而到了现在，紫色甚至被用做装饰我们的墙面，印度贡献了她的潺潺河流以及龙和大象的血液，但传世之作却不再诞生。我们必须相信，当画家的工具不够齐全时，最终作品在各个方面则更胜一筹……不料我们活着只是为了材料的价值，而不是艺术家们的天赋。

（《自然史》，第32卷，第50节）

图 176（左）《纳尔博纳的装饰画》（局部），约 1375 年。少数极好的幸存的四句斋祭坛毯，以灰色的单色调呈现了沉重忧郁的受难故事。

图 177（右）《一个正在敲击丧钟的面具》（ *A Mask Tolling the Hour of Death* ），1882 年，奥迪隆·雷东（Odilon Redon）。

普林尼显然不了解早于他那个时代 5 个世纪的希腊绘画（他写作的材料源自希腊文献），我们则了解得稍稍多一些；希腊古典主义以大理石雕塑的形式流传至现代，由于它们着色的部分均已脱落，因此导致的十足的无彩色状态被认为是他们眼中理想的美的保证。那白色大理石（以及"白色"的肌肤）是最美丽的，因为它反射了最多的光，这是 18 世纪希腊艺术史学家 J. J. 温克尔曼（J. J. Winckelmann）关键的美学概念之一，他的耳熟能详的名句"高贵的单纯，静穆的伟大"，曾被最激进的现代仿古典风格画家之一艾德·莱因哈特（Ad Reinhardt）所引用。而莱因哈特，我们后面会谈及，也是特别赞颂了黑色。

　　普林尼的道德立场，为随后一千年欧洲艺术中不少有关色彩的控诉奠定了基调。在中世纪晚期的北欧，很多着色的祭坛装饰品在四句斋时期会被关闭，而展示质朴的单色调的外翼部分，这些部分通常模仿未着色的雕塑来上涂料，祭坛则由纯灰色画（grisaille）来装饰，例如《纳尔博纳的装饰画》（ *Parement de Narbonne* ）（图 176）。类似的，法国象征主义者奥迪隆·雷东（Odilon Redon，1840—1916）在他的作品尚未采用炫目的色彩，还是黑白艺术大师的时期，这样写道："人们必须尊重黑色。没有什么能够使之堕落。它不会取悦视觉或者唤起另一种感觉。它是心灵的媒介，甚至胜过调色板上或棱镜反射出来的美丽的色彩。"这里展示的是埃德加·爱伦·坡（Edgar Allan Poe）作品的插画家，视觉神秘效果（图 177）的典型代表，主张理性主义，反对之后那风靡一时的通感现象所带来的不加约束的后果。然而没过多久，被理性地聘请的画家们，诸如库普卡或德洛奈，却会着手配置整个棱镜光谱中的资源（图 30，32，34）。

在现代西方艺术家对待色彩的态度中，有着许多悖论，其中有一点则源于他们对东方思想的普遍的热情。中东和亚洲的纺织品中丰富且微妙的色彩一直以来为西方所珍视，为许多 19 世纪和 20 世纪画家如安格尔、德拉克洛瓦和马蒂斯（图 178）的作品，带来了一种新颖的、充满活力的着色方法。与此同时，葛饰北斋（Katsusika Hokusai，1760—

图 178 《穿红色裤子的宫女》（*Odalisque in Red Culottes*），1921，亨利·马蒂斯。马蒂斯经常把他对东方纺织品和图案的迷恋（他在 1912—1913 年间访问了摩洛哥）当作自己过度丰富的色彩的媒介。

图 179（左）《龟户梅屋铺》（*The Plum Tree Teahouse at Kameido*），1857 年，歌川广重。

图 180（右）《日本趣味：盛开的梅花》（模仿哥川广重），*Japonaiserie: Pulm Tree in Blossom (after Hiroshige)*，1887 年，文森特·梵·高。梵·高拥有许多日本木版画收藏，图为他"复制"的作品，然而他并没有模仿日本画家们那种微妙细腻的着色。

1849）和歌川广重（Utagawa Hiroshige，1797—1858）等日本艺术家创作的彩色木版画在欧洲被大量收藏，且常被模仿，虽然至少有像梵·高那样的"复制"作品，朝着更为尖锐的西方的互补色对比的方向（图 179，180）来修改日式精巧的着色。然而享乐主义者詹姆斯·阿博特·麦克尼尔·惠斯勒（James Abbott McNeill Whistler，1834—1903）（图 181）则是以他的灰色调引起了 19 世纪伟大的东方学家欧内斯特·费诺罗萨（Ernest Fenollosa）的注意：

> 他是西方世界中第一位，围绕以灰色为核心的区域进行探索并拓展至无限的色调范围。他笔下的灰色与被囚禁的色彩产生了跃动。几年前我曾这样描述传统的中国着色学派，他们把色彩设想为从灰色的土壤中长出的花朵。然而在欧洲艺术中，我只在惠斯勒的作品中看到了这种思想的呈现。

自 1940 年代起，尤其是在美国画家的心中，东方思想意味着禁欲

图181 《夜景：蓝色和金色——旧巴特西桥》（*Nocturne: Blue and Gold – Old Battersea Bridge*），约1872—1875年，詹姆斯·阿博特·麦克尼尔·惠斯勒。惠斯勒是最早的以处理灰色调出名的画家之一。

主义、出世、虚无，无论是关乎色彩还是形状。这种禁欲主义的确构成了东方美学的一条主线：道家老子在《道德经》（约公元前300年）中告诫道："五色令人目盲；五音令人耳聋；五味令人口爽；驰骋畋猎，令人心发狂；难得之货，令人行妨。"在中国，传统五色为黑、白、黄、红、绿，其中黄色是最重要的、中心的、皇家的颜色，是代表土元素的颜色，可以协调其他所有的颜色。但到了近现代，在后帝制时期的中国，黄色早已失去了它的光环：它现在出于安全原因通常用于工业机械中，并且它的传统名称"黄"，已不再受重用了。

消极的色彩

美国现代主义艺术家，从1929年的黑白影像摄影师阿尔弗雷德·斯蒂格利茨（Alfred Stieglitz），到1950年的移民约瑟夫·亚伯斯（Josef Albers），以及1960年代的艾德·莱因哈特，都很相似的通过否定来进

图 182《抽象画第 5 号，1962》（*Abstract Painting No5, 1962*），1962 年，艾德·莱因哈特。在莱因哈特的黑色画作中，不同区块之间的过渡几乎让人难以察觉，这在很大程度上得益于他对中国古代哲学的阅读。

行审美表达。他们中最直言不讳且最激进的莱因哈特（1913—1967）在 1962 年曾写道："唯一用来诠释抽象艺术或'作为艺术的艺术'的方式，就是说它不是什么。"关于色彩他常常引用老子的观点，在他最著名的"新学院十二规则"（1957 年）宣言中，第六条规则为："无需色彩。'色彩会蒙蔽。''色彩是外观的一部分，所以仅仅流于表面。'色彩是野蛮原始的，不稳定的，暗示生活是'不能够被完全掌控的'，是'应该被隐藏的'。色彩是一种使人分心的装饰。"

莱因哈特在 1930 年代和 1940 年代就已经是一位杰出的色彩学家了。他也曾绘了大量的白色单色画，然而那时白色也被剥夺了作为"一种包含所有色彩的颜色"的角色，"反腐的、无美感的，适合作为厨房用具，丝毫不能成为表达真实和美丽的媒介"。从这一时期直到生命结束，莱因哈特创作了独一无二的黑色绘画。他长期以来一直对相近的色调充满兴趣，但在这里的这幅作品中，色调由于太过相近而很难区分。正如老子所写：即使我们试图去看出"道"，也是看不出来的，为此或许可以描述它为"模糊和无形的"……完全模糊，完全不清，但还是有感觉的。尽管微妙之处不可能被复制，这里我还是以一幅可以从公共馆藏中看到

图 183 《至上主义的构成：白色上的白色》（*Suprematist Composition: White on White*），约 1918 年，卡西米尔·马列维奇。

的《抽象画》（图 182）为例来说明。在 1960 年代的一场专题讨论会上，莱因哈特指出了他把自己限定于只使用黑色的这个决定背后的道德性："一些人曾就色彩问题询问我，而我会借此机会谈论一些艺术中不包含色彩的时期和场景——中国的水墨画，分析性立体主义，毕加索的《格尔尼卡》（*Guernica*）等。色彩中有着一些错误的、不可靠的、愚蠢的，以及无法掌控的东西。而控制和理性却是我道德中的一部分。"

即使是莱因哈特的"黑色绘画"也不是严格单色的，因为画家们在轮廓鲜明的边线配置了略微调和的颜色，如马列维奇的《白色上的白色》（图 183 ），而我们的语言习惯会把这种颜色称为"灰黑色"或甚至"灰色"。但是内部的矩形须要寻找出来，而正是这种延伸的、冥想式的搜寻赋予这些作品以意义。

风格多变的格哈德·里希特（Gerhard Richter）追随贾斯珀·琼斯 1950 年代的灰色绘画，在 20 余年后创造了自己的灰色系列（图 185），给出了一种带虚无吸引力的更世俗化的版本。"（灰色）不包含任何陈述内容，"里希特在 1975 年写道，"它既不唤起情感也不引发联想；实际上它既非有形也非无形。它难以觉察的特性给予了它调和的能力，以一

图 184 "0.10: 最后的未来主义展"中展出的画作，彼得格勒，1915 年 12 月，卡西米尔·马列维奇。马列维奇将他的《黑色方块》（*Black Square*）高高地置于房间墙角，这个位置在传统上是为了房子里最重要的圣像所保留的。由此，这个黑色方块也再次成为了 17 世纪炼金术士弗拉德（Fludd）眼中的那种无限的精神象征。

图 185 《单元》（*Cell*, 德文: *Zelle*），1988 年，格哈德·里希特。里希特选择灰色作为一种完全中立的色彩。

种积极的错觉式的方式而变得有形，就如同一幅照片。对我来说，灰色是中立、无立场、无偏见、无形状的受人待见且唯一可能的等价物。"

在 20 世纪，存在一种强有力的单色绘画的传统，从马列维奇的《黑色方块》（*Black Square*）（图 184），到亚历山大·罗琴科（Aleksandr Rodchenko）的三个"原色"矩形组画（1921 年，莫斯科，罗琴科档案馆）和伊夫·克莱因（Yves Klein）的各种不限于蓝色的单色作品，再到埃尔斯沃思·凯利（Ellsworth Kelly）的光谱系列（图 1），以及罗伯特·赖曼（Robert Ryman）、格哈德·梅尔茨（Gerhard Merz）和约瑟夫·马里奥尼（Joseph Marioni）（图 188）的单幅画作。这些单色矩形画作的祖先可以算上炼金术士罗伯特·弗拉德（Robert Fludd）1617 年的论著《宏观宇宙与微观宇宙：宏观宇宙史》（*Utriusque cosmi maioris I: de macrocosmi historia*）中的有关无限主题的图像（图 186），这幅图像被西班牙画家安东尼·塔皮埃斯（Antoni Tàpies，生于 1923 年）直接引用于一幅大尺寸作品（图 187）。

单色画中最激进的形式——空白画布，也植根于东方美学。17 世纪德川时期的一位日本茶道大师藤村庸轩 (Yoken Fujimura)，以"白纸题词"

图 186（左）《无限》（*Et sic in infinitum*）出自《宏观宇宙与微观宇宙：宏观宇宙史》，1617 年，罗伯特·弗拉德。

图 187（右）《弗拉德》（*Flud*），1988 年，安东尼·塔皮埃斯。

（haku-shi-san）而闻名，即以一个文本放在一幅画的顶端，而这是一幅没有任何其他标记的空白图幅。这显然成了美国艺术家约翰·巴尔代萨里（John Baldessari）一幅作品的（灵感）来源，他在 1966 年展出的一幅空白画布上有这样的字样："除了艺术，这幅画中的一切都被净化了。"正如同另一位日本画家池大雅 (Ike-no Taiga) 在 18 世纪提出的："描绘不做任何描画的白色空间，这是绘画中最难以完成的一件事。"

单色作品很可能会被认为是对单个的、不可简化的、独立的颜色的最后的敬意，但它们比其他任何彩色画作都更依赖于周围环境和外界照明。罗伯特·赖曼表示，他会考量悬挂他白色画作的墙面；而法国画家克劳迪·鲁铎 (Claude Rutault) 将这番见解做了符合逻辑的归纳，并根据他的单色画的特征去涂刷墙面的颜色。约瑟夫·马里奥尼（生于 1943 年）（图 188）注意到："当光源变化色彩就随之发生转变。一幅画作的感知语境即为它所悬挂的环境的氛围……绘画不仅仅是色彩本身的表达，而更可以说是被描画的色彩连同其作为一种客体的完全形态的特性。"

这些考量趋向于给予单色作品作为一种绘画类型的独立性，并使其

图 188《红色绘画第 5 号》（*Red Painting No. 5*），1996 年，约瑟夫·马里奥尼。

更接近于装置艺术，例如詹姆斯·特瑞尔于 1970 年代和 1980 年代创作的大型单色灯光作品（图 52），需要观者眼睛的彻底适应，因此必须在完全黑暗中进行展示。

一个昏暗却装满色彩的环境带来的审美影响，也是日本茶馆的一个特征，或许正是一个恣意克制的环境的典范。日本作家谷崎润一郎（Junichiro Tanizaki）回忆了 1950 年代在一家老式京都茶馆中经历的"一种令人难忘的黑暗视觉"：

> 那是一间宽敞的屋子……仅被几根蜡烛划破的那种黑暗，异常丰富，完全不同于一间小房间里的黑暗……在屏风的远处（蜡烛背后），在小小的光晕的边缘，黑暗看起来好像是从天花板上坠落的，有着一种颜色的高傲和强烈，蜡烛脆弱的光芒难以穿透它的厚度，转变成为了一面黑色的墙……这是一种饱和的状态，一种充满了像细灰一样的小颗粒的丰满状态，每一个颗粒都像一道彩虹那样发着光。

此处，在黑暗中，有着存在于无色却无尽的世界的感官盛宴。

艾德·莱因哈特在 1930 年代和 1940 年代积极参与左翼政治，他是一位精英主义者，长期反对流行艺术和任何人都能成为艺术家的观点。他总是急于将艺术从生活中脱离出来。他对于色彩的激进的限制赋予了他的作品以个人特征，也承载了排他性的内在含义，在服装领域更是如此。在文艺复兴时期的欧洲，服装限制和为促进其实施而广为颁布的禁奢法，很大程度上是一种贵族的指标，因为在消费主义热潮到来之前，它直接反对被认为是新富有阶层的标志和有损于公共经济的铺张浪费性的炫耀。我们正处在黑色和灰色的绅士时尚的初始阶段，辉煌的代表人物有委拉斯开兹（Velázquez）和弗兰斯·哈尔斯（Frans Hals），惠斯勒和马奈（图 189）；波德莱尔早在 1846 年就赞美了这种"现代生活的英雄主义"的象征，"我们的痛苦年代的必要的装束，要用到那种象征，甚至即为压在黑色的单薄肩膀上的一种永恒的哀悼……伟大的色彩大师知道如何用黑色外套、

图 189 《剧院里的化妆舞会》(*Masked Ball at the Opera*)，1873—1874 年，爱德华·马奈。波德莱尔在 1840 年代所哀叹的有关法国男性的一种久远的哀悼状态，到了 1860 年代已转变为一种庆祝。马奈生动地描绘了被普遍穿着的黑色夜礼服是如何平衡舞者身着的艳丽戏装的。

白色领结和灰色背景来创建色彩"。然而色彩的社会等级制度却不仅仅只局限于欧洲。在平安时代（8—12 世纪）的日本，所有着色最精细的珍贵的丝绸都在京都的宫廷，作为朝臣的日记作家紫式部（Murasaki，日语中意为紫色）女士，也正是文学经典《源氏物语》的作者（图 190），一直注意着什么人在什么场合身着什么颜色的服饰；在许多日记段落中，她提及低等级宫廷侍女禁穿的色彩种类——黄色、绿色、红色和紫色——记述道，那些宫女：

> 身着三层或四层的美丽长袍、提花丝织披肩和平纹外衣；有些则用锦缎和细纱点缀长袍……她们的裙裾和外套，不出意料地，是绣着花的。外套有着装饰的袖口，银线贯穿裙裾接缝处，做出了编结的效果；银箔镶嵌在扇子的提花图案上。好似你正望着皎洁月光

图 190 《源氏物语》(*Tale of Genji*)，第三十五章，17—18 世纪，狩野柳雪（Kano Ryusetsu Hidenobu）。紫式部女士著名的《源氏物语》在日本被描绘了数个世纪。这里京都皇宫的图景给人以一种感觉——宫廷服装也是一种制服，廓形和色彩都高度统一。

下藏在积雪中的山脉一般。它是那么的明亮，以至于你几乎无法分辨出任何东西，就像房间里挂满了镜子一样。

雷诺阿、贝尔特·莫里索（Berthe Morisot）和玛丽·卡萨特（Mary Cassatt）的作品（图 191）生动地提醒了我们，与 19 世纪身着黑色衣服的男性对应的女性形象——印象主义法国时期身着白色服饰的耀眼的女士们。

在日本，传统文化里染色精妙和层层堆叠的面料以艺术的形式遗留在更为尖锐的现代文化中。在 1950 年代，面料艺术家田中敦子（Atsuko Tanaka，出生于 1932 年）设计了名为《舞台服饰》（*Stage Clothes*）的表演，她在表演中脱去一层一层着色明亮的衣装，每一层的色彩都与前一层对比强烈，直到最终她仅身着一套黑色紧身衣。这一时期的田中还创造了用层叠的白色的和多彩的电灯泡构成的《电光裙》（*Electric Dress*）（图 192）。有关日本（社会）对色彩感知新近的改变的一则有趣的插曲，源自现代日语里有关色彩的词汇。在日语中，衍生自英语的外来词和古代日语并列存在，而且在某些场合，外来词的使用频率远高于本土语言中的同义词汇。但是引进的术语表示的色调通常被认为比本土词汇表示的相同色调更亮：以 "purple"（紫色）为例，传统词汇为 "murasaki "（紫），与源自英文

图 191《窗旁的年轻女孩》(*Young Girl at a Window*),1883 年,玛丽·卡萨特。在 1870 年代和 1880 年代的法国很时髦的白色夏装,是展现印象派绘画着色的阴影和反光的理想载体。

图 192 《电光裙》，1956 年（1986 年重新组装），田中敦子。田中引入现代技术，以半透明分层衣裙的样式来承载日本传统服饰风尚，营造出了许多难以定义且充满变化的色彩效果。

的来外词日语"paapuru"相比，位于更低的亮度级别，而且在细微差别上，涵盖更广的范围。这是语言与概念之间至关重要的相互作用的又一例证，而且外来词中的变体为探究色彩的感知提供了丰富且尚未开发的领域。

土著色彩的社会语境

在当下的大多数西方社会中，着装标识，如同大多数的等级标识一样，已经基本失去了作用，除了在青少年之中，或是在一些怀旧的环境中，比如俱乐部以及体面的餐馆中。

在 20 世纪之前，欧洲具象艺术中几乎不存在清晰的色彩意象，这意味着布料是最自由的即兴和抽象元素之一，但是禁奢法令和着装标识明确了色彩的确会受制于强烈的社会压力。这些压力在澳大利亚土著的现代艺术中尤为明显，正如我们看到的那样，20 世纪后期绘画艺术运动的兴起引起了对色彩角色的一次激进的重新评估。在 19 世纪欧洲入侵者尝试用基督教和白人文化习俗同化澳大利亚土著人之前，原住民最活跃的视觉文化主要存在形式为：圣地的岩石绘画、身体彩绘、地面绘画、与仪式舞蹈结合的雕塑，以及北方热带雨林中的树皮庇护屋和空心棺木绘画。通常，可用的颜色为天然赭石、管土和木炭，由于自然界的每一种元素都在各个部落特有的神话创造中起了作用，就像我们看到的那样，这些着色原料拥有的远不止纯粹的视觉意义。这导致了学习土著艺术和仪式的学生认为"正宗的"土著颜料只限于四种"天然的"颜色:黑、白、红、黄。然而这个配色和相应的色料绝大部分一直以来只为北方的树皮画家们所用，而这个群体现在几乎专门为非土著大众创作（图 121）。这与古罗马的情况惊人地相似，正如普林尼描述的阿佩利斯和其他同时代的人那样。即使在澳大利亚中部，1960 年代于帕潘亚（Papunya）开始的绘画艺术运动引入了欧洲的绘画媒介，如复合板、画布、各色合成颜料等，然而在土著艺术经济中扮演重要角色的白人艺术顾问，则试图将可用的颜色限制在传统的四种之内。与该限制相关的最引人注目的例子

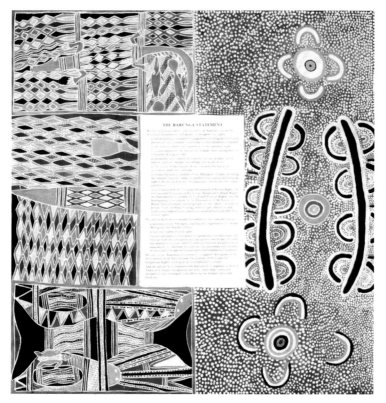

图 193 《巴仑加声明》，1988 年，尤努皮因古（Yunupingu）等。在这份恢复传统土著土地权利的请愿书中，来自阿纳姆地（Arnhem Land）部落的设计图案（图左半部）和来自中部沙漠（the Central Australian Desert）部落的设计图案（图右半部），借由天然赭石这种传统土著颜料统一了起来。

就是 1988 年的《巴仑加声明》(*Barunga Statement*)（图 193），尽管其中的设计元素是每个地区特有的，但用于表达北领地的北部和中部部落间的一致性的，正是这四种颜色的通用语。

　　然而有足够的理由相信土著艺术家们渴望使用任何可用的颜色，包括各种蓝色和绿色。即便是在东北部的阿纳姆地，那里的仪式配件一直包括色彩丰富的羽毛。在 1940 年代，民俗学家们在搜集与"梦幻故事"相关的视觉材料信息时为土著艺术家们提供了彩色的蜡笔，这些艺术家

图 194 《火焰梦幻》（*Flame Dreaming*），1947 年，姆恩葛拉乌伊（Munggaraui）。姆恩葛拉乌伊是东北部阿纳姆地的古玛蒂（Gumatj）部落的长老，也是 1930 年代的首批使用传统赭石颜料的商业树皮画家之一。但是当人类学家罗纳德·伯恩特（Ronald Berndt）和凯瑟琳·伯恩特（Catherine Berndt）夫妇在十年后搜集了部落的设计元素，这些彩色蜡笔画体现了姆恩葛拉乌伊很乐于使用各种颜色。

在使用蜡笔时展示出了极好的色彩天赋（图 194）。无须多加强调的是，澳大利亚中部和西部的丙烯颜料画家从 1960 年代开始到现在，在使用明亮且丰富的颜料上并无禁忌（图 119，120）。澳大利亚中部的土著艺术在西方已经具有了成熟的市场需要，因为 1960 年代的抽象表现主义为这种艺术形式打下了基础。然而产生在遥远的内陆社会的艺术与受到美国影响的艺术存在些许关联，艺术家们甚至自己都习惯性地将范围广泛的明亮的色彩都指定为"传统的"。从画家的角度出发，这对于绘画的功能性来说是至关重要的，不仅仅是因为它们进入了货币经济，而是为了把土著文化介绍给更广阔的世界。他们对土地的强调来自图腾与色调两方面，这是土著政治的根基。我们在第五章中看到，这个明显的悖论可以通过解读土著语言中的色彩词汇来解决，原住民语言与包括欧洲早期语言在内的很多世界上的其他语言一样，总是把蓝色归类成"黑色"，把绿色归类成"黄色"，抑或是使用相同的术语涵盖两者。

避免使用特定色彩的原因一直以来都是多种多样的，也会被社会、政治意识形态所影响，大量使用某些色彩的原因也是如此。正如我在本书中试图展示的那样，艺术中的色彩既是人类活动的某个分支，又是一种文化现象。即使在研究能为我们所用的色彩的成因和材料的物理学和化学范畴中，也涉及历史层面的内容，因为我们所理解的"色彩"，本质是心理上的，然而人类的意识是经历历史发展的。所有的色彩实践都有其独特的背景和具体的缘由，所以色彩远不止是形式分析的一个分支而已，更不是一个次要分支，而须要被完全融进艺术历史中去。

图片版权

Prismatic Circle, c. 1776 from T. Phillips, 'Lectures on the History and Principles of Painting', London 1833.

30 Frantisek Kupka, *Study for Disks of Newton*, 1911—12. Gouacheon paper, 32×25 ($12^5/_8 \times 9^7/_8$). Centre Pompidou, MNAM, Paris. © ADAGP, Paris and DACS, London 2006. **31** Ogden Rood, *Diagram of Contrasts* from *Modern Chromatics*, London, 1879. **32** Frantisek Kupka, *Disks of Newton (Study for 'Fugue in Two Colours')*, 1911—12. Oil on canvas, 49.5×65 ($19^1/_2 \times 25^5/_8$). Centre Pompidou. MNAM. Paris. ©ADAGP, Paris and DACS, London 2006. **33** Sir Isaac Newton, *Colours of Thin Plates* from *Opticks*, Book II, part I , London, 1704. **34** Robert Delaunay, *Formes circulaires (Circular Forms)*. 1930. Oil on canvas, 128.9×195 ($50^1/_4 \times 76^3/_4$). Solomon R. Guggenheim Museum. New York. Robert Delaunay©L&M Services B.V. Amsterdam. **35** Sonia Delaunay, *Finlandaise*, 1908. Oil on canvas. 42.5×46 ($16^3/_4 \times 18^1/_8$). ©L&M Services B.V. Amsterdam. **36** Sonia Delaunay, *Composition*, 1938. Gouache on cardboard, 105×74 ($41^3/_8 \times 29^1/_8$). ©L&M Services B.V. Amsterdam. **37** Piet Mondrian, *Composition in Red, Blue and Yellow,* 1930. Oil on canvas, 46×46 ($18^1/_8 \times 18^1/_8$). Kunsthaus, Zurich. ©2006 Mondrian/Holtzman Trust c/o HCR International, Warrenton, VA USA. **38** Georges Vantongerloo, *Study, Brussels*, 1918. Oil on canvas, $52 \times 61. 5$ ($20^1/_2 \times 24^1/_4$). Private Collection. ©DACS 2006. **39** Gerhard Richter, *256 Colours*, 1974 (repainted 1984). Enamel paint on canvas, 222×414 ($87^1/_2 \times 163$). Städtisches Kunstmuseum. Bonn. © Gerhard Richter **40** Ellsworth Kelly, *Spectrum Colours Arranged by Chance*. 1951— 53. Oil on wood, 152.4×152.4 (60×60). San Francisco Museum of Modem Art (EK 63). ©Ellsworth Kelly, **41** Richard Paul Lohse, *Fifteen Systematic Colour Series in a Circular Form*. 1952/83. Oil on canvas, 150×150 (59×59). Lohse Foundation. zurich. **42** Sally Webeer, *Alignment*, 1987. Holographic optical element and cast acrylic, $213 \times 92 \times 50$ ($83^7/_8 \times 36^1/_4 \times 19^5/_8$).

Karl Ernst Osthaus-Museum, Hagen. Photo Achim Kukulies, Düsseldorf. **43** Robert Waring Darwin, Ocular Spectra, from *Philosophical Transactions of the Royal Society*, LXXVI, 1786. **44** Dan Flavin, *Untitled (to Pat and Bob Rohm)*, 1969. Red, green and yellow fluorescent light, 244 (96). Private collection. Photo Rury Fischelt. ©ARS, NY and DACS. London 2006. **45** *The Trinity with Christ Crucified (Austrian)*. c. 1410. Egg tempera on silver fir, 118.1×114.9 ($46^1/_2 \times 45^1/_4$). ©National Gallery, London. Bought with a contribution from the National Art Collections Fund, 1922. **46** Vincent van Gogh, *Bedroom at Arles*, 1888. Oil on canvas, 72×90 ($28^6/_{16} \times 35^7/_{16}$). Van Gogh Museum, Amsterdam. **47** Eugène Delacroix, *Dante et les esprits des grands hommes*. 1841—45. Oil on canvas, 680 ($267^{11}/_{16}$) diameter, 2, 040 ($803^1/_8$) circumference. Cupola of Senate. Palais du Luxembourg, Paris. **48** Georges Seurat, *A Sunday on La Grande Jatte* (detail), 1884—86. Oil on canvas, 207.5×308.1 ($81^3/_4 \times 121^1/_4$). Helen Birch Bartlett Memorial Collection, Art Institute of Chicago. **49** Georges Seurat, *Le Couple*, 1884—85. Conte crayon, 31.2×23.6 ($12^1/_4 \times 9^1/_8$). The Trustees of the British Museum. **50** Sanford Wurmfeld, *Cyclorama*, 2000. Acrylic on cotton, 230×280 ($90^9/_{16} \times 110^1/_4$). Karl Ernst Osthaus-Museum, Hagen. Photo Achim Kukulies, Düsseldorf. **51** Sanford Wurmfeld, *Cyclorama*, 2000 (detail). Acrylic on cotton, 230×280 ($90^9/_{16} \times 110^1/_4$). Karl Ernst Osthaus-Museum, Hagen. Photo Achim Kukulies. Düsseldorf **52** James Turrell, *Night Passage*, 1987. Rectangular cut in partition wall, fluorescent and tungsten lamps, and fixtures. Dimensions vary with installation; outer room and entry: $450 \times 1260 \times 1050$; sensing space: $410 \times 300 \times 1050$; cut in partition wall: 230×525 placed 100 from floor, as installed ac the Guggenheim Museum Bilbao. 2000—01. $365.8 \times 1097.3 \times 1828.8$ ($144 \times 432 \times 720$). Solomon R. Guggenheim Museum, New York, Panza Collection, Gift, 1991. 91.4080. Photograph by Erika Barahona Ede. **53** Pierre-Auguste Renoir, *La Loge*, 1874. Oil on

canvas, 80 × 63.5 ($31^1/_2$ × 25). The Samuel
Courtauld Trust, Courtauld Institute of Art Gallery,
London. **54** Edouard Manet, *Portrait of Zacharie
Astruc*, 1866. Oil on canvas, 90 × 116 ($35^3/_8$ ×
$45^5/_8$). Kunsthalle, Bremen. **55** Kazimir Malevich,
Sportsmen. c. 1930—32. Oil on canvas, 142 × 164
(56 × $64^1/_2$). Russian Museum, St Petersburg. **56**
Kazimir Malevich. *The Artist (Self-Portrait).* 1933.
Oil on canvas, 73 × 66 ($28^3/_4$ × 26). Russian
Museum, St Petersburg. **57** Gerrit Rietveld, *Red-Blue
Chair*, c. 1923 (reconstruction). Black-stained frame,
lacquered seat and back, 88 × 65.5 × 83 ($34^5/_8$ ×
$25^3/_4$ × $32^5/_8$). Cassina SpA. © DACS 2006. **58**
Peter Keler, *Crib*, 1922. Painted wood. Photo
Hochschule für Architektur und Bauwesen. **59**
Eberhard Schrammen, wooden construction game, c.
1922. Wood coloured, 70 parts, height up to 18.2
($7^1/_8$). Kunstsammlungen zu Weimar. **60** Friedrich
Overbeck, *Italia und Germania*, 1828. Oil on canvas,
94.4 × 104.7 ($37^1/_8$ × $41^1/_4$). Bayerische
Staatsgemäldesammlungen, Neue Pinakothek Munich
and Kunstdia-Archiv ARTOTHEK, D-Weilheim. **61**
James Clerk Maxwell, *Maxwell's Discs. c.* 1855.
Cavendish Laboratory, Cambridge. **62** Georges
Seurat, *The Side Show (Parade)*, 1888. Oil on canvas,
101 × 150.2 ($39^3/_4$ × $59^1/_8$). Metropolitan Museum
of Art, New York. Bequest of Stephen C. Clark, 1960.
63 J. M. W. Turner, *The Burning of the House of
Lords and Commons. October 6th 1834*, 1834. Oil on
canvas,92.5 × 123 ($36^3/_8$ × $48^3/_8$), Cleveland
Museum of Art. **64** Frank Howard, *Turner's Principle*,
from *Colour as a Means of Art*, 1838. **65** Wassily
Kandinsky, *Farbstudien mit Angaben zur Maltechnik*,
1913. Watercolour, gouache and pencil on paper, 23.9
× 31.5 ($9^3/_8$ × $12^3/_8$). Städtische Galerie im
Lenbachhaus, Munich. © ADAGP, Paris and DACS,
London 2006. **66** Wayne Roberts, *Low Tide, Cancale*,
1995. Acrylic on schut paper, 39 × 49 ($15^3/_8$ ×
$19^1/_4$). Collection of the artist. **67** Wassily Kandinsky,
Black Lines, 1913. Oil on canvas, 129.5 × 131.1 (51
× $5^5/_8$). Solomon R Guggenheim Museum, New
York. © ADAGP, Paris and DACS, London 2006. **68**

Wassily Kandinsky, *Colour System*, 1911. Figure Ⅲ
from 'Concerning the Spiritual in Art' first published
in English translation under the title 'The Art of
Spiritual Harmony', London, 1914. **69** Paul Gauguin,
Be *Mysterious (Soyez my sterieuses)*, 1890. Painted
linden wood. 73 × 95 × 5 ($28^3/_4$ × $37^3/_8$ × 2).
Musée d'Orsay, Paris. Acquired in 1978, RF 3405.
Photo © RMN-Jean Schormans. **70** Edvard Munch,
The Lonely Ones (Two Human Beings), 1899. Colour
woodcut. Munch Museum, Oslo (MMG 601-12). **71**
Edvard Munch. *The Lonely Ones (Two Human
Beings)* , 1899. Colour woodcut. Munch Museum,
Oslo (MMG 601-42). **72** Anish Kapoor, *Mother as a
Mountain,* 1985. Wood, gesso and pigment, height
140 (55). Walker Art Center, Minneapolis. © the
artist. **73** Wassily Kandinsky, jacket illustration from
a 1980 edition of *On the Spiritual in Art* (1914),
published by Oriental Research Partners,
Newtonville, Mass. © ADAGP, Paris and DACS,
London 2006. **74** Ivan Kliun, *Forms and Colours, c.*
1931. Colour lithograph, 22.5 × 17 ($8^7/_8$ × $6^5/_8$).
Costakis Collection. **75** Eugen Batz, *Colours and
Forms.* 1929—30. Tempera on paper, 42.3 × 32.9
($16^5/_8$ × 13). Bauhaus Archiv, Berlin. © DACS
2006. **76** Karl Gerstner, The Color Form Model,
Diversion Cycle, c. 1979. © Karl Gerstner. **77**
Wilhelm Ostwald, colour-circle, from Wilhelm
Ostwald, 'Die farbenfibel', 1916. **78** Karl Gerstner,
Color Form Objects, Diversion cycle, 1970—75/82.
Nitrocellulose on phenolic resin plates. © Karl
Gerstner. **79** Oskar Schlemmer, *Point Line, Plane
(Kandinsky)*, 1928. India ink and gold bronze, collage
with silver foil, tinted paper and photomontage, with
three printed, cut out, and collaged words 'fläche
punkt linie' on white card, 20.1 × 20.1 (8 × 8).
Schlemmer Nachlass. **80** Wassily Kandinsky, *Tension
in Red*,1926. Oil on card, 66 × 53.7 (26 × $21^1/_8$).
Solomon R. Guggenheim Museum, New York. ©
ADAGP, Paris and DACS, London 2006. **81** Fernand
Léger, *Contrast of Forms (Contraste de formes)*,
1913. Oil on burlap, 130.2 × 97.6 ($51^1/_4$ × $38^7/_{16}$).
Philadephia Museum of Art, The Louise and Walter

Arensberg Collection. © ADAGP, Paris and DACS, London 2006. **82** Juan Gris, *Seated Harlequin*, 1923. Oil on canvas, 73 × 92 (28³/₄ × 36¹/₄). The Carey Walker Foundation. New York. **83** Titian, *The Assumption*, 1516—18. Oil on panel, 690 × 360 (271⁵/₈ × 141³/₄). Santa Maria Gloriosa dei Frari, Venice. Photo Archivio RCS Libri, Milan. **84** Titian, *Study for Christ in the Garden*, c. 1559—63. White chalk on blue paper, 23.2 × 19.9 (9¹/₈ × 7⁷/₈).Uffzi, Florence. **85** Michelangelo Buonarotti, *Christ on the Cross between the Virgin and St John*, c. 1562. Black chalk and white lead, 38.2 × 21 (15 × 8¹/₄). Royal Collection © 2006 Her Majesty Queen Elizabeth ɪɪ. **86** Michelangelo Buonarotti, *Roboam-Abias lunette*, 1508/10. Fresco. Sistine Chapel, St peter's, Rome. **87** El Greco, *The Opening of the Fifth Seal (The Vision of St John)*, 1608—14. Oil on canvas, 222.3 × 193 (87¹/₂ × 76). Metropolitan Museum of Art, New York. **88** Rosso Fiorentino, *Deposition from the Cross*, 1528. Oil on panel, 270 × 201 (106¹/₄ × 79¹/₈), Sansepolcro, San Lorenzo. **89** David Lucas after John Constable, *Old Sarum*, 1830. Mezzotint, 14 × 21.5 (5¹/₂ × 8). Tate, London 2006. **90** Mark Rothko, *Orange and Yellow*, 1956. Oil on canvas, 232.4 × 181.3 (91¹/₂ × 71³/₈). Albright-Knox Art Gallery, Buffalo, New York. Gift of Seymour H. Knox, 1956. © 1998 Kate Rothko Prizel & Christopher Rothko/DACS 2006. **91** Josef Albers, *Homage to the Square*, 1950. Oil on masonite panel, unframed 52.3 × 52 (20⁵/₈ × 20¹/₂). Yale University Art Gallery, New Haven, Gift of Anni Albers and the Josef Albers Foundation, Inc. © The Josef and Anni Albers Foundation/VG Bild-Kunst, Bonn and DACS, London 2006. **92** Bridget Riley, *Song of Orpheus 5*, 1978. Acrylic on linen, 195.6 × 259.7 (77 × 102¹/₄). Museum of Fine Arts, Boston. © 2006 Bridget Riley, 2006. All rights reserved. **93** Bridget Riley, *Winter Palace*, 1981. Oil on linen, 212.1 × 183.5 (83.5 × 72¹/₄). Leeds City Art Gallery. © 2006 Bridget Riley, 2006. All rights reserved. **94** Donald Judd, *Untitled*, 1973. Stainless steel and red plexiglass. 10 units measuring 23 ×

101.6 × 78.7 (9 × 40 × 31), with each interval. Centre Georges Pompidou, MNAM, Paris. Art © Judd Foundation. Licensed by VAGA, New York/ DACS, London 2006. **95** Donald Judd, *Untitled*. 1984. Enameled aluminum. 30 × 180 × 30 (11¹³/₁₆ × 70⁷/₈ × 11¹³/₁₆). Private Collection, Switzerland. Art © Judd Foundation. Licensed by VAGA, New York/DACS, London 2006. **96** Tony Cragg, *Hassocks*, 1986. Lapis lazuli and serpentine, c. 55 × 175 × 45 (21⁵/₈ × 68⁷/₈ × 17³/₄). Galerie Museum, Basel. Copyright the artist. **97** Fra Angelico, *Linaiuoli tabernacle*, 1433. Tempera on panel, 260 × 266 (102³/₈ × 104¹/₄) (open). Museo di San Marco, Florence. **98** Arman, *La Vie dans la ville pour l'oeil (Life in the Town for the Eye)*, 1965. Accumulation of paint tubes and caps with paints in polyester, 123 × 101 × 8 (48¹/₂ × 39³/₄ × 3¹/₈). Galerie Beaubourg, Paris. © ADAGP, Paris and DACS, London 2006. **99** Titian, *The Entombment of Christ*, 1559. Oil on canvas, 137 × 175 (53⁷/₈ × 68⁷/₈). Prado, Madrid. **100** Vincent van Gogh, *Portrait of Père Tanguy*, 1887—88. Oil on canvas. 65 × 51 (25¹/₂ × 20). Private Collection. **101** Advertisement for Thomas Miller's Van Eyck Glass Medium for oil painting, p. 194 from *The Art Union*, 1841. V&A Images/Victoria and Albert Museum. **102** John Everett Millais, *The Bridesmaid*, 1851. Oil on wood, 27.9 × 20.3 (11 × 8). Fitzwilliam Museum, Cambridge. **103** Yves Klein, *Monochrome Bleu*, 1960. Pure pigment and synthetic resin on canvas mounted on wood, 199 × 153 (78³/₈ × 60¹/₄). Centre Georges Pompidou, MNAM, Paris. © ADAGP, Paris and DACS, London 2006. **104** Paul Gauguin, *The Yellow Christ*, 1889. Oil on canvas, 92 × 73 (36¹/₄ × 28⁷/₈). Albright-Knox Art Gallery, Buffalo, New York. General Purchase Funds, 1946. **105** Morris Louis, *Golden Age*, 1958. Acrylic on canvas, 231.1 × 378.5 (91 × 149). Ulster Museum, Belfast. **106** J. M W. Turner, *The Red Rigi*, 1842. Watercolour, 30.5 × 45.8 (12 × 18). Felton Bequest, 1947, National Gallery of Victoria, Melbourne. **107** Paul Cézanne, *Peasant in a Straw

Hat. c. 1906. Watercolour. 475 × 31.4 ($18^{1}/_{4}$ × $12^{3}/_{8}$). Art Institute of Chicago. **108** Wassily Kandinsky, *Komposition*, 1911—12. Watercolour, ink and pencil, 31.5 × 48 ($12^{3}/_{8}$ × $18^{7}/_{8}$).Karl Ernst Osthaus-Museum, Hagen. Photo Friedrich Rosenstiel, Cologne. © ADAGP, Paris and DACS, London 2006. **109** Wassily Kandinsky, *Riegsee-Dorfkirche*, 1908. Oil on cardboard, 33 × 45 (13 × $17^{3}/_{4}$). Von der Heydt Museum, Wuppertal. © ADAGP, Paris and DACS, London 2006. **110** Michel Lorblanchet re-creating the spotted horse panel at Pech Merle. Courtesy Michel Lorblanchet. **111** Paul Klee, *Emigrating Bird (no, 4176)*, 1926. Gouache sprayed and hand-applied on wove paper bordered with gray gouache, mounted on cardboard, 37.5 × 47.3 ($14^{3}/_{4}$ × $18^{5}/_{8}$). Metropolitan Museum of Art, New York, Berggruen Klee Collection, 1984. © DACS 2006. **112** Wassily Kandinsky, *Rotes Quadrant [859]*, 1928. Watercolour on paper, 32.2 × 48 ($12^{5}/_{8}$ × 19). Long Beach Museum of Art, Long Beach, CA, The Milton Wichner Collection © ADAGP, Paris and DACS, London 2006. **113** Workshop for wall painting. Experimental wall for various spray-gun techniques, Dessau Bauhaus, c. 1927. **114** John Hoyland. *17.5.64*. Acrylic on cotton duck, 213 × 274 (84.3 × 108).© Collection of the Artist/Bridgeman Art Library. **115** Richard Hamilton, *Hers is a Lush Situation*, 1958. Oil, cellulose, metal foil and collage on panel, 81 × 122 (32 × 48). Private Collection. © Richard Hamilton 2006. All Rights Reserved, DACS. **116** Frank Stella, *Ifafa II* , 1964. Metallic powder in polymer emulsion on canvas, 196.9 × 331.5 ($77^{1}/_{2}$ × $130^{1}/_{2}$). Museum für Gegenwartskunst der Öffentliche Kunstsammlung, Basel. © ARS,NY and DACS, London 2006. **117** William Blake, *Ghost of a Flea*, c. 1819. Tempera and gold on panel, 21.4 × 16.2 ($8^{3}/_{8}$ × $6^{3}/_{8}$). Tate, London 2006. **118** *The Colours of Urine*, from *The Physicians Calendar*, London, 15th century. Harley MS 53ll. The British Library, London **119** Warlukurlangu Artists, *Kurrku*, 1996. Acrylic on canvas, 280 × 680 ($100^{1}/_{4}$ × $267^{3}/_{4}$).

University of Virginia, Kluge-Ruhe Collection. © DACS 2006. **120** Mitjili Napurrula, *Spears at Ualki*, 1994. Synthetic polymer paint on canvas, 56 × 76 (22 × 30). Purchased 1994. Art Gallery of New South Wales. © the artist. **121** Wakuthi Marawili, *Fire Dreaming*, 1976. Earth pigments on bark, 119.3 × 65.4 (47 × $25^{3}/_{4}$). Purchased through the Art Foundation of Victoria with the assistance of the Utah Foundation, Fellow, 1990. National Gallery of Victoria, Melbourne. Courtesy of Buku-Larrngay Mulka Centre, Yirrkala, NT. **122** Jasper Johns, *False Start*, 1959. Oil on canvas, 170.8 × 137.2 ($67^{1}/_{4}$ × 54). Private Collection, New York. © Jasper Johns/ VAGA, New York/DACS, London 2006. **123** Albert H. Munsell, yellow (constant hue) chart of the Munsell Colour Solid, first published in *Color Notation*, 1905. **124** Wassily Kandinsky, rejected design for cover of *Über das Geistige in der Kunst*, 1910. Opaque paint and bodycolour. 8.7 × 11.1 ($3^{3}/_{8}$ × $4^{3}/_{8}$). Städtische Galerie im Lenbachhaus. Munich. © ADAGP, Paris and DACS, London 2006. **125** Kazimir Malevich, Designs for backcloths of *Victory over the Sun*, 1913. Pencil and gouache on paper. Theatre Museum, Saint Petersburg. **126** Josef Albers, *Variant 4 Greens, 2 Grays*, 1948—55. Oil on masonite, 65.5 × 71 ($25^{13}/_{16}$ × 28). Solomon R. Guggenheim Museum, New York. Gift, The Josef Albers Foundation, Inc., 1991 91.3884. The Josef and Anni Albers Foundation/VG Bild-Kunst, Bonn and DACS, London 2006. **127** Paul Gauguin, oil paint samples and mixtures with autograph notes, on paper; thought to be verso of *The Breton Cavalry*, 1894. Private Collection. **128** Gauguin's palette. c. 1903. Musée d'Orsay, Paris. Photo © RMN. **129** Clifford Possum Tjapaltjarri, *Water Dreaming at Napperby*, 1983. Acrylic on canvas, 183 × 152 (72 × $59^{7}/_{8}$). Flinders University Art Museum, Adelaide. © the estate of the artist licensed by Aboriginal Artists Agency 2006. **130** Ginger Riley Munduwalawala, *Limmen Bight River Country*, 1992. Synthetic polymer paint on canvas, 243.5 × 243.5 × 3.7 ($95^{7}/_{8}$ × $95^{7}/_{8}$ × $1^{1}/_{2}$) (stretcher).

Mollie Gowing Acquisition Fund for Contemporary
Aboriginal Art 1992. Art Gallery of New South
Wales. © the Estate of Ginger Riley
Munduwalawala, courtesy of Alcaston Gallery,
Melbourne. **131** Albert Namatjira, *Mt Sonder.*
Watercolour on paper, 26 × 36.5 (10 × 14$^{1}/_{2}$). The
Gantner Myer Aboriginal Art Collection, Fine Arts
Museums of San Francisco, CA. **132** Bruce
Nauman, *White Anger, Red Danger, Yellow Peril,
Black Death*, 1985. Neon and glass tubing, 203 ×
220 (80 × 86$^{1}/_{2}$). Marieluise Hessel Collection on
permanent loan to the Centre for Curatorial Studies,
Bard College, Annandale-on-Hudson, New York. ©
ARS, NY and DACS, London 2006. **133** Justinian,
Bishop Maximianus, and attendants, c. 547. Mosaic
from the north wall of the apse, San Vitale,
Ravenna. **134** Gospel of St John, Coronation
Gospels, f. 178v, 8th century AD. Vienna, Weltliche
Schatzkammer. Kunsthistorisches Museum, Vienna.
135 National flag of Saudi Arabia. **136** Sergei
Eisenstein, scene from *Battleship Potemkin*,
1925. **137** Eugène Delacroix, *Liberty Leading the
People*, 1830. Oil on canvas, 260 × 325 (102$^{3}/_{8}$
× 128). Louvre, Paris. Photo © RMN. **138** Fiona
Foley, *Untitled (Aboriginal Flag)*, 1991. Gouache,
18 × 13.2 (7 × 5$^{1}/_{4}$). Collection Parliament House,
Canberra. Image courtesy of the artist. Represented
in Australia by Niagara Galleries, Melbourne
and Andrew Baker Gallery, Brisbane. **139** Jasper
Johns, *White Flag*, 1955. Encaustic and collage on
canvas,198.9 × 306.7 (78$^{1}/_{4}$ × 120$^{3}/_{4}$). Collection
the artist. © Jasper Johns/VAGA, New York/DACS,
London 2006. **140** Key to the Meaning of Colours,
from frontispiece of *Man Visible and Invisible*
by C. W. Leadbeater, London, 1902. **141** Astral
Body of the Developed Man, Pl. XXIII from *Man
Visible and Invisible* by C. W. Leadbeater, London,
1902. **142** William Blake, *Albion Rose*, c. 1796. A
colour printed etching with hand-drawn additions
in ink and watercolour, 27.5 × 20.2 (10$^{7}/_{8}$ × 8).
British Museum, London. **143** Wassily Kandinsky,
Impression III (Concert), 1911. Oil on canvas,

77.5 × 100 (30$^{1}/_{2}$ × 39$^{3}/_{8}$). Städtische Galerie im
Lenbachhaus, Munich. © ADAGP, Paris and DACS,
London 2006. **144** Wassily Kandinsky, Table I
from *On the Spiritual in Art*, 1914. **145** Wassily
Kandinsky, *Red Oval*, 1920. Oil on canvas, 71.5
× 71.2 (28$^{1}/_{8}$ × 28$^{1}/_{16}$). Solomon R. Guggenheim
Museum, New York. © ADAGP, Paris and DACS,
London 2006. **146** Ivan Kliun, *Untitled*, c. 1917.
Oil on paper, 27 × 22.5 (10$^{5}/_{8}$ × 8$^{3}/_{4}$). Costakis
Collection. **147** Ivan Kliun, *Untitled*, 1918. Gouache
on paper, 30.8 × 28.8 (12$^{1}/_{8}$ × 11$^{1}/_{4}$). Costakis
Collection. **148** *Definite Affection*, figure 10 from
A. Besant and C. W. Leadbeater, *Thought Forms*,
1905. **149** Georges Seurat, final study for *Le
Chahut*, 1889. Oil on canvas, 55.6 × 46.7 (21$^{7}/_{8}$
× 18$^{3}/_{8}$). Albright-Knox Art Gallery, Buffalo, New
York. General Purchase Funds, 1943. **150** Bernardo
Buontalenti, engraving after the original design for
Intermezzo III, 1589. V&A Images/Victoria and
Albert Museum. **151** Set design model attributed
to Giovanni Niccolò Servandoni, 18th Century.
Photo The Art Archive/Chateau de Chambord/
Dagli Orti. **152** Edward Burney, *De loutherbourg's
Eidophusikon*, c. 1782. Watercolour, 19.7 × 27.3
(7$^{3}/_{4}$ × 10$^{3}/_{4}$). British Museum, London. **153** Louis
Daguerre, *The Ruins of Holyrood Chapel*, c. 1824.
Oil on canvas, 211 × 256.3 (83 × 101). Walker
Art Gallery, National Museums Liverpool. **154** 'The
Triclinium', from *Le Costume ancien et moderne*
by Jules Ferrario, c. 1820. Coloured engraving
after Alessandro Sanquirico. Bibliothèque des Arts
Décoratifs, Paris. Archives Charmet/The Bridgeman
Art Library. **155** Pietro Gonzaga stage scenery.
172 × 230 (67$^{1}/_{4}$ × 90$^{1}/_{2}$). Fondazione Giorgio
Cini, Venice. **156** Adolphe Appia, *Die Walküre*,
1924. Act II, A wild rocky place. Stadttheater,
Basel. **157** *Overture to Wagner's* Meistersingers,
A. Besant and C. W. Leadbeater, *Thought Forms*,
1905. **158** Edward Gordon Craig, illustration for
the stage set of Henrik Ibsen's *The Pretenders*, Act
3. Scene I, 'The Bishop's Death', printed on Mould
Made Paper, 22.9 × 8.9 (9 × 3$^{1}/_{2}$). Published in *A*

Production 1926, being designs projected or realized by Edward Gordon Craig, for 'The pretenders' of Henrik Ibsen, Oxford University Press, 1930. Reproduced by permission of the Edward Gordon Craig Estate. **159** Richard Smith, *Edward Gordon Craig*, 1968. Lithograph on paper, 37.1 × 71.1 (14$^{10}/_{16}$ × 28).Tate, London 2006. © Richard Smith. **160** Henri de Toulouse-Lautrec. *Study for Loïe Fuller*, 1893. Peinture à l'essence on cardboard, 63.2 × 45.3 (24$^7/_8$ × 17$^7/_8$). Musée Toulouse-Lautrec, Albi. **161** Eugène Delacroix, *Gluck at the Piano*, 1831. Watercolour and pastel, 22.5 × 17 (8$^7/_8$ × 6$^3/_8$).Present whereabouts unknown. **162** Alexander László, *Color-musical Performance (after a watercolour* by Matthias Holl), from A. Laszlo, *Color-light music (Die Farblichtmusik)*, Leipzig, 1925.**163** Sergei Eisenstein, still from red sequence from *Ivan the Terrible Part II*, 1946—58. **164** Sergei Eisenstein, still from blue sequence from *Ivan the Terrible Part II*, 1946—58. **165** Alfred Hitchcock, still from *Marnie*, 1964. Photo Universal/The Kobal Collection. **166** Ingmar Bergman, The mourners and Anders Ek at the deathbed, stills from *Cries and Whispers (Viskningar och rop)*, 1972. © 1972 AB Svensk Filmindustri. **167** Edvard Munch, *By the Deathbed*, 1895. Oil on canvas, 90 × 120.5 (35$^3/_8$ × 47$^1/_2$). Rasmus Meyer Samlingen, Bergen. © Munch Museum/Munch-Ellingsen Group, BONO, Oslo, DACS. London 2006. **168** Jean-Luc Godard, stills from *Pierrot le Fou*, 1965.© 1991 Canal+International/Iberia Films Société Nouvelle de Cinématographie. **169** Dan Sandin, *Landscape environment from CAVE*, 2003. University of Illinois, Chicago. Courtesy the artist. **170** Amédée Ozenfant, *Le Pot blanc*, 1925. Oil on canvas, 151.5 × 176.5 (59$^3/_8$ × 69$^1/_2$). Centre Georges Pompidou, MNAM, Paris. © ADAGP, Paris and DACS, London 2006. **171** Amédée Ozenfant, *Plan Diagram of Curtain Arrangements for Living Room/Colour Laboratory*, 1937, From *Architectural Review*, 81, January, 1937. © ADAGP, Paris and DACS. London 2006. **172** Pablo Picasso, *Ma Jolie*, 1912.1911—12.

Oil on canvas, 100 × 64.5 (39$^3/_8$ × 25$^3/_4$). Acquired through the Lillie P. Bliss Bsequest. Museum of Modern Art, New York. © Succession Picasso/ DACS 2006. **173** Pablo Picasso, *Girl Before a Mirror (Marie-Thérèse)*, 1932. Oil on canvas, 162.3 × 130.2 (64 × 51$^1/_4$). Museum of Modern Art, New York, Gift of Mrs Simon Guggenheim. © Succession Picasso/DACS 2006. **174** Frank Stella, *Jasper's Dilemma*, 1962—63. Alkyd on canvas, 195.6 × 391.2 (77 × 154). Private Collection. © ARS, NY and DACS, London 2006. **175** Jasper Johns, *Gray Numbers*, 1958. Encaustic and collage on canvas, 170.2 × 125.8 (67 × 49$^1/_2$). Collection Kimiko and John Powers, Colorado. © Jasper Johns/ VAGA, New York/DACS, London 2006. **176** Detail from *Le Parement de Narbonne*, c. 1375. Black ink on silk, 78 × 280 (30$^3/_4$ × 110$^1/_4$). Louvre, Paris.Photo © RMN/Michèle Bellot. **177** Odilon Redon, *A Mask Tolling the Hour of Death*, 1882. Lithograph, 26 × 19.1 (10$^5/_{16}$ × 7$^1/_2$). Bibliothèque Nationale, Paris. **178** Henri Matisse, *Odalisque with Red Culottes*, 1921. Oil on canvas, 67 × 84 (26$^3/_8$ × 33$^1/_8$). Centre Georges Pompidou, MNAM, Paris. © Succession H. Matisse/DACS 2006. **179** Utagawa Hiroshige, *The plum tree teahouse at Kameido*, 1857. Colour woodblock print. Van Gogh Museum (Vincent van Gogh Foundation), Amsterdam. **180** Vincent van Gogh, *Japonaiserie: Plum Tree in Blossom (after Hiroshige)*, 1887. Oil on canvas, 55 × 46 (21$^5/_8$ × 18$^1/_8$). Van Gogh Museum (Vincent van Gogh Foundation), Amsterdam. **181** James Abbott McNeill Whistler, *Nocturne: Blue and Gold-Old Battersea Bridge*, c. 1872—75. Oil on canvas, support 68.3 × 51.2 (26$^7/_8$ × 20$^1/_8$) Tate, London 2006. **182** Ad Reinhardt, *Abstract Painting No.5, 1962*, 1962. Oil on canvas, 152.4 × 152.4 (60 × 60). Tate, London 2006. © ARS, NY and DACS, London 2006. **183** Kazimir Malevich, *Suprematist Composition: White on White, c.* 1918. Oil on canvas,78.7 × 78.7 (31 × 31). Museum of Modern Art, New York. **184** Paintings by Kazimir Malevich displayed at the Last Futurist Exhibition, 0.10 (Zero

Ten) exhibition, December, 1915, Petrograd. **185** Gerhard Richter, *Cell (Zelle)*, 1988. Oil on canvas, 201 × 140 (67$^1/_8$ × 55$^1/_8$). Museum of Modern Art, New York. **186** Robert Fludd, *The Great Darkness* From *Tractatus Secundus De Naturae Simia Seu Technica macrocosmi historia in partes undecim divisa. Oppenheim*, Johann Theodore de Bry, 1618. **187** Antoni Tàpies, *Flud*, 1988. Etching, 200 × 200 (78$^3/_4$ × 78$^3/_4$). © Fondation Antoni Tàpies, Barcelone/VEGAP, Madrid and DACS, London 2006. **188** Joseph Marioni, *Red Painting No 5*, 1996. Acrylic on linen, 182.9 × 175.3 (72 × 69). Hays Acquisition Fund, Rose Art Museum, Brandeis University. **189** Édouard Manet, *Masked Ball at the Opera*, 1873—74. Oil on canvas, 60 × 73 (23$^5/_8$ × 28$^3/_4$). National Gallery of Art, Washington, D. C. Gift of Mrs Horace Havemeyer in memory of her mother-in-law, Louisine W. Havemeyer. Photo National Gallery of Art, Washington. **190** Kano Ryusetu Hidenoku, *Tale of Genji*, Ch. 35, 17th—18th century. Handscroll, ink and colour on silk. British Museum, London. **191** Mary Cassatt, *Young Girl at a Window*, 1883. Oil on canvas,100.3 × 64.7 (39$^1/_2$ × 25$^1/_2$). Corcoran Gallery of Art, Washington, D. C. Museum Purchase, Gallery Fund. **192** Atsuko Tanaka, *Electric Dress*, 1956 (reconstructed 1986). Mixed media. Takamatsu City Museum of Art. Photo Shigefumi Kato. © Akira Kanayama. **193** Yunupingu et al, *Barunga Statement*, 1988. Ochres on board, 122 × 120 (48 × 47$^1/_4$). Gift to Parliament. Reproduced with the permission of the Northern and Central Lands Councils. Photograph courtesy the Parliament House Art Collection, Department of Parliamentary Services, Canberra. **194** Munggaraui, *Flame Dreaming*, 1947. Lumbar crayon on brown butcher paper, 74 × 115 (29$^1/_8$ × 45$^1/_4$). RM Berndt Collection. Berndt Museum of Anthropology, The University of Western Australia, Perth.

责任编辑　郑幼幼
文字编辑　金　木
责任校对　朱晓波
责任印制　朱圣学
书籍设计　郑幼幼 & 祝羽正
翻译审校　林考兴

浙 江 省 版 权 局
著作权合同登记章
图字：11-2013-103 号

Colour in Art

Published by arrangement with Thames & Hudson Ltd, London

Copyright © 2006 Thames & Hudson Ltd, London

This edition first published in China in 2018 by Zhejiang Photographic Press, Hangzhou

Chinese edition © Zhejiang Photographic Press

浙江摄影出版社拥有中文简体版专有出版权，盗版必究。

图书在版编目（CIP）数据

艺术中的色彩 /（英）约翰·盖奇（John Gage）著；
黄谌旸译. --杭州：浙江摄影出版社，2018.7
（艺术世界丛书）
ISBN 978-7-5514-2200-0

I.①艺… II.①约…②黄… III.①色彩学—美术史 IV. ①J063-09

中国版本图书馆CIP数据核字（2018）第120374号

艺术世界丛书

Yishu Zhong De Secai

艺术中的色彩

（英）约翰·盖奇　著
黄谌旸　译

全国百佳图书出版单位
浙江摄影出版社出版发行
　地址：杭州市体育场路347号
　邮编：310006
　网址：www.photo.zjcb.com
　电话：0571-85151350
　传真：0571-85159574
制版：杭州立飞图文有限公司
印刷：浙江影天印业有限公司
开本：889mm × 1194mm　1/32
印张：7.625
2018年7月第1版　2018年7月第1次印刷
ISBN：978-7-5514-2200-0
定价：98.00元